# 電子マネー・電子商取引と金融政策

館 龍一郎 [監修]
日本銀行金融研究所 [編]

東京大学出版会

The Impact of Advances in Information
Technology on Monetary Policy
Ryuichiro TACHI, Supervising Editor
Edited by Institute for Monetary and Economic Studies, Bank of Japan
University of Tokyo Press, 2002
ISBN4-13-040193-9

# はじめに

　本書は，日本銀行が設置した「電子決済技術と金融政策運営との関連を考えるフォーラム」における3年間にわたる検討結果を，包括的に整理し，取りまとめたものである．

　このフォーラムが設置されたのは1997年12月，世間を震撼させた金融機関の大型倒産が発生して間もない頃であったが，情報技術革新について世間が徐々に期待を強めていた時期でもあった．このフォーラムの座長を依頼された際，日本銀行から示されたフォーラムの検討課題は，電子マネーをはじめとした電子決済技術が，金融政策運営にもたらす課題およびその対応策について，理論的・実務的観点から幅広く検討してもらいたい，というものであった．当時，電子マネーや電子決済技術の進歩・普及が，比較的近い将来に金融政策運営に深刻な影響を及ぼすのではないか，との漠然とした懸念が日本銀行内にあり，それがフォーラムの設置の原動力になったのではないかと思われる（結論からいえば，フォーラムでは，そうした懸念は必ずしも喫緊のものではない，との考え方が示されることになる）．フォーラムは，学識経験者と日本銀行関係者を中心に構成され，約1年半の間に計8回の会合が持たれた．幸い，参加者に個性あふれる論客が揃ったことから，毎回，極めて活発な議論が繰り広げられ，座長としては，議論の集約に予想以上に苦労することになった（フォーラムのメンバーについてはvii-viii頁を参照されたい）．そこでの議論から得られた成果は，1999年5月に日本銀行金融研究所から中間報告書として公表されている（金融研究所の機関誌『金融研究』第18巻3号〈1999年8月〉に掲載）．

　この中間報告では，電子決済技術の進展は広範な技術革新の一部にすぎず，金融政策と実体経済のリンクを考えるためには，議論の対象を近年の情報技術

革新そのものに拡張する必要がある,という今後の検討課題も同時に示された.このため,フォーラムの名称を,「技術革新と銀行業・金融政策──電子決済技術と金融政策運営との関連を考えるフォーラム」へと若干変更し,メンバーも一部変更して,この問題に関する検討を継続することとなった.この後期においては,情報技術革新,特にインターネットの普及や電子商取引の拡大によって金融経済活動やその枠組み(構造),特に銀行業の産業組織がどのように変化するか,また,グローバル化がどのように進展するのか,そうした一連の変化の結果として,金融政策の効果・波及経路にどのような影響が及ぶのか,といった点を中心に熱心な議論が行われた.こちらも,約1年半の間に計11回の会合が持たれ,その成果は,2000年11月に金融研究所から報告書の形で公表されている(『金融研究』第20巻1号〈2001年1月〉に掲載).

　本書は,これら2つの報告書の重複箇所を整理するとともに,データの一部をアップ・デイトする等,読みやすさの観点から必要と思われる修正を施し,「情報技術革新と金融政策」について一般読者が統一的に読み進むことができるようにまとめたものである.「IT革命」とも言われる情報技術革新の経済的な意義や影響,金融政策運営へのインプリケーションについて,経済理論面から考えていく際の思考の枠組みを提供する1冊になり得たのではないかと考えている.

　こうした本書の生い立ちにも明らかなように,本書は,情報技術革新が金融政策運営に及ぼす影響について,大きく分けて2つの側面に焦点を当てて検討を行っている.ひとつは,いわゆる「電子マネー」・電子決済技術の影響であり,もうひとつは,広く情報技術革新一般が経済活動の枠組み・構造を変えていくことによる影響──例えば,インターネットなどの新たな情報インフラの形成と電子商取引の拡大,そのもとでの銀行業の変貌が及ぼす影響である.

　まず,電子マネーをはじめとする電子的な決済手段については,ICカードに貨幣価値を貯蔵し,それを紙幣やコインに代えて実際の消費活動の中で使用する試みにみられるように,すでに様々な形でその実用化に向けた実験や取り組みが行われてきている.そうした現実を受けて,各国の行政サイドでも,電

子マネーや電子決済技術の健全な発展を促すための環境整備に向けた対応が進められている．わが国では，大蔵省（当時）の金融制度調査会のもとで「電子マネー及び電子決済の環境整備に向けた懇談会」報告書が 1996 年に取りまとめられ，それを基に，その後法的整備に向けた検討が進められている．

こうした電子マネー・電子決済技術の進展は，金融政策の運営に大きな影響を及ぼす潜在的な可能性を持っている．BIS（Bank for International Settlements : 国際決済銀行）のレポート "Implications for Central Banks of the Development of Electronic Money"（1996 年）においても，電子マネーの発展は，中央銀行に対して金融政策運営，シニョレッジ（通貨発行益），決済システムの面などで数多くの政策的な論点を提起すると指摘されている．もし既存の銀行券や貨幣（コイン），あるいは，民間銀行の預金が電子マネーに代替されていけば，現行の金融・決済システムを前提に，それを通じて実体経済へ影響を及ぼす形で行われている金融政策運営の姿も，大きく変わってくるものと考えられる．

ただし，電子マネーはこれまでのところ，全く独立した決済手段としてではなく，既存の決済手段である銀行券や銀行預金を裏付けに発行されている．このため，本書では，電子マネー・電子決済手段を「決済手段として利用し得る，新たな民間銀行負債の一形態」であり，「新型預金」として割り切って捉えてはどうか，との考え方を提示している．もっとも，そう割り切って考えた場合でも，電子マネーの普及は，当然金融政策運営に様々な影響を及ぼし得る．例えば，既存の金融商品から電子マネーに資金がシフトする過程では，マネーサプライ統計の信頼性が低下する可能性が高いため，その面で，金融政策の判断が難しくなることも予想される．また，中長期的な視野に立てば，技術革新の一層の進展により，電子マネー・電子決済技術が既存の決済システムとは全く独立したシステムを構築する可能性も完全には排除できない．このため，電子マネー・電子決済技術の進展については，中央銀行としても，今後とも注意深く見守っていくことが必要であろう．

次に，視野を情報技術革新全般に広げると，コンピューターの急速な進歩や

インターネットの発達などに代表される情報技術革新は，改めて指摘するまでもなく，経済・社会活動の幅広い分野に多様な影響を及ぼしつつある．そのインパクトの大きさについては，現時点ではなお不確かな部分が大きいと言わざるを得ないが，多くの論者から経済活動の姿を根本から変えていく可能性も指摘されている．インターネットの発達により，新たな情報インフラが構築されてきており，それにより創り出されたサイバー空間において，電子商取引も，それが登場した当初に喧伝されたほどではないにせよ，数年前に比べれば飛躍的に拡大している．こうしたインターネットの発達は，商品・サービス情報や取引相手を世界規模で探索するコスト（サーチ・コスト）を引き下げることにより，グローバリゼーションや取引形態の変革を促す側面を持っていると考えられる．

　一方，金融取引面では，情報技術革新の進展により，金融商品・サービスの高度化，リスク管理能力の向上，新しいデリバリー・チャネルの登場といった変化がすでにみられている．また，金融・資本市場においては，取り扱い商品の範囲が拡大し，裁定取引が活発化している．そのもとで，金融仲介機関の機能や役割，その組織形態，金融・資本市場との役割分担にも変化が窺われる．

　金融政策の波及や効果は，金融経済構造に大きく依存しており，以上のような情報技術革新による金融経済構造の変化は，不可避的に金融政策運営に影響を及ぼすことが予想される．本書では，そうした影響について，2つの問題を指摘している．ひとつは，情報技術革新により潜在成長率が変化するとみられるほか，電子商取引の拡大などに伴い個々の財・サービスの価格形成のあり方も変化すると考えられる点である．実体経済の正確な把握は，政策判断の大前提であるが，情報技術革新は，そうした面でのある種の不確実性を増大させることを通じて，政策運営上大変悩ましい問題を引き起こす可能性がある．

　いまひとつの問題は，情報技術革新に伴う金融・資本市場の発達，金融機関間の競争激化，グローバリゼーションなどを背景に，金利，為替レート，資金の利用可能性（アベイラビリティ）といった金融政策の主要な波及経路の相対的な重要度に，変化が生ずる可能性があることである．このため，中央銀行は，

そうした変化に十分な注意を払いつつ，政策運営を行うことが求められることとなろう．

本書の構成は2部構成となっており，その内容は概略以下のとおりである．

第Ⅰ部「電子マネーと金融政策」では，まず第1章で，電子決済手段の当面考えられる姿について整理を行う．すなわち，当面考えられる電子決済手段の形態に関して，本書で使用する用語・概念の定義や分類とともに，その特徴点や位置づけをまとめる．そのうえで，長期的に見た発展の可能性についても広く列挙する．次に第2章では，電子的な決済手段の普及がマクロ経済全体や金融政策に及ぼす影響について議論を整理する．具体的には，電子的な決済手段の普及が信用創造プロセスにどのような影響を及ぼすかを論じた後，消費者の貨幣需要行動が受ける影響についても簡単な整理を行う．次に，中央銀行の金融政策運営の起点となる金融市場調節に対して与える影響について論ずるとともに，準備預金制度の枠組み変更など政策的対応のあり方についても言及する．最後に，電子決済手段の普及によって中央銀行のシニョレッジ（貨幣発行益）がどのような影響を受けるかを論じた後，電子的な決済手段が中央銀行の提供する通貨を代替し得るものとなるかどうかについて問題提起を行う．そして最後に，電子マネーが金融政策に及ぼす影響についてのまとめを行う．

第Ⅱ部「情報技術革新のインパクトと金融政策」では，まず第3章で情報技術革新の特徴をみたうえで，それによってもたらされている生産面での効率性向上とネットワーク利用のメリットを検討する．そして，情報技術革新の社会経済の枠組みに対するインパクトを考察する．次に，第4章では，現在急速に規模を拡大させている電子商取引によって，伝統的な系列・下請け取引等がどのように変化し得るのかをみたうえで，電子商取引の拡大による価格形成の変化とその金融政策への影響を検討する．第5章では，情報技術革新が金融業にどのような変化をもたらしているのかを整理し，金融業の将来を展望する．さらに，こうした金融の変化が金融政策の波及経路に及ぼす影響を検討する．第6章では，インターネット等の発達によって，貿易や国際金融取引の面からグ

ローバル化が進展する可能性，およびその金融政策への影響について考察する．第7章では，第4章から第6章までみてきた金融経済構造の変化と金融政策に及ぼす影響を踏まえたうえで，情報技術革新が金融政策運営に及ぼす影響を不確実性との関係に留意しつつ総括する．最後に，「おわりに」で，第II部のまとめを行う．

　情報技術革新の経済的な側面については，ITバブルの崩壊で一頃の熱狂とも言えるブームが去り，現在，それに伴う経済調整の深刻化が世界経済に大きなマイナスのインパクトを及ぼしている．しかし，情報技術革新は中長期的に，金融経済構造に大きな影響を及ぼす可能性が高い．それだけに，冷静な目をもって，大きな時代の流れの中での情報技術革新の位置づけを考える必要があろう．本書がそうした問題を考える際の一助となれば幸いである．

　最後に，本書の編集にあたっては，日本銀行金融研究所の，久田高正（現松江支店長），大谷聡，北村冨行の各氏に具体的な作業をお願いした．また，出版に関しては，東京大学出版会編集部の黒田拓也氏に大変お世話になった．この場を借りて，これらの方々に対して感謝の意を表して置きたい．

2002年6月

館　龍一郎

## フォーラム委員

| | | |
|---|---|---|
| （座長） | 館　龍一郎 | 東京大学名誉教授 |
| （委員） | 浅子　和美 | 一橋大学経済研究所教授 |
| | 池尾　和人 | 慶応義塾大学経済学部教授 |
| | 伊藤　隆敏 | 一橋大学経済研究所教授 |
| | 伊藤　元重 | 東京大学経済学部教授 |
| | 岩村　充 | 早稲田大学アジア太平洋研究センター教授 |
| | 神田　秀樹 | 東京大学法学部教授 |
| | 河合　正弘 | 財務省副財務官（前東京大学社会科学研究所教授） |
| | 北村　行伸 | 一橋大学経済研究所助教授 |
| | 清野　一治 | 早稲田大学政治経済学部教授 |
| | 黒田　昌裕 | 慶応義塾大学商学部教授 |
| | 香西　泰 | 日本経済研究センター会長 |
| | 首藤　恵 | 中央大学経済学部教授 |
| | 高橋　亘 | 慶応義塾大学経済学部教授（前日本銀行金融研究所研究第2課長） |
| | 林　文夫 | 東京大学経済学部教授 |
| | 松井　彰彦 | 東京大学経済学部兼筑波大学社会工学系助教授 |
| | 吉川　洋 | 東京大学経済学部教授 |
| （オブザーバー） | 植田　和男 | 日本銀行政策委員会審議委員 |
| （日本銀行） | 山口　泰 | 副総裁 |
| | 翁　邦雄 | 金融研究所長 |
| | 鮎瀬　典夫 | 金融研究所研究第2課長 |

|  |  |  |
|---|---|---|
|  | 石田 和彦 | 国際局国際調査課長 |
|  | 門間 一夫 | 企画室政策調査課長 |
|  | 青木 周平 | 信用機構室決済システム課長 |
|  | 白塚 重典 | 金融研究所調査役 |
| （事務局） | 内田 真人 | 那覇支店長（前金融研究所研究第1課長） |
|  | 久田 高正 | 金融研究所研究第1課長 |
|  | 谷口 文一 | システム情報局副調査役（前金融研究所研究第1課兼2課） |
|  | 大谷 聡 | 金融研究所研究第1課副調査役 |
|  | 川本 卓司 | 人事局（前金融研究所研究第1課） |
|  | 北村 冨行 | 金融研究所研究第1課 |

(注1) 伊藤（隆）委員，河合委員，首藤委員は中間報告公表まで委員を務めたほか，清野委員，黒田委員，松井委員は中間報告公表後，新たに委員として参加した．
(注2) フォーラム委員の肩書きは2001年12月現在．

[目次]

はじめに

# 第Ⅰ部　電子マネーと金融政策

## 第1章　電子決済技術とは ……………………………………… 3
1.1 電子決済技術・電子決済手段 5／ 1.2 電子決済手段の特徴 12／ 1.3 電子決済手段の位置付け 15／ 1.4 電子決済技術の可能性 21

## 第2章　電子決済技術の普及と金融政策 ……………………… 25
2.1 電子マネーは現金か預金か？ 28／ 2.2 電子決済技術の普及と信用創造 29／ 2.3 電子決済技術と貨幣需要関数 33／ 2.4 電子決済技術の進展と金融調節・準備預金制度 38／ 2.5 電子決済技術の普及が中央銀行シニョレッジに及ぼす影響 42

## 第Ⅰ部：まとめと課題 …………………………………………… 49

## 第Ⅰ部 Appendix
1. 電子マネーが金融システムの安定性に与える影響 51／ 2. 電子決済技術の普及と信用乗数論 55／ 3. 電子決済技術の普及とトービン=ボーモルの在庫理論アプローチ 57／ 4. 金利かマネーか：プールの議論 58／ 5. 準備預金制度の見直しとその現代的意義 60／ 6. 準備預金への付利 62

## 第Ⅰ部：参考文献 ………………………………………………… 65

# 第Ⅱ部　情報技術革新のインパクトと金融政策

## 第3章　情報技術革新の本質 …………………………………… 69
3.1 情報技術革新の特徴 71／ 3.2 情報技術革新と生産面での効率化 74／ 3.3 ネットワーク利用のメリット——情報量増大の観点から 75／ 3.4 情報技術革新による社会経済の枠組みの変化 78

## 第4章　電子商取引の拡大の影響 ………………………… 81

4.1 電子商取引の現状 83／ 4.2 電子商取引の拡大の影響 85／ 4.3 電子商取引の拡大と価格形成，金融政策 91

## 第5章　金融取引・金融業の変化 ………………………… 99

5.1 情報技術革新の金融取引への影響 101／ 5.2 金融・資本市場の変化 106／ 5.3 金融仲介機関の業務の変化 107／ 5.4 銀行業・金融仲介業の将来展望 112／ 5.5 金融面の変化と金融政策 119

## 第6章　グローバル化の進展 ……………………………… 125

6.1 クロスボーダーの電子商取引の増加 127／ 6.2 電子商取引の拡大による貿易の拡大 130／ 6.3 国際的な金融取引の進展 132／ 6.4 グローバル化と金融政策 135

## 第7章　情報技術革新の進展と金融政策運営 ……………… 139

7.1 中央銀行による金融経済動向把握への影響 142／ 7.2 金融政策の波及経路やその効果への影響 150

## おわりに ……………………………………………………… 153

## 第Ⅱ部 Appendix

7. 信頼形成に関する実務的な方法 157／ 8. 株式市場のマーケット・マイクロストラクチャー改革 161／ 9. 情報技術革新と規模の経済性に関する概念整理 164／ 10. 金融政策の波及経路 168／ 11. ドル化（Dollarization）171／ 12. 自国財に関するホームバイアスについてのサーベイ 174／ 13. 貿易理論からみた生産要素移動と貿易量の関係 176／ 14. 国際金融取引の現状 179／ 15. 国内における複数通貨の併存 183／ 16. 不確実性下での金融政策運営 188／ 17. 情報技術の影響に関する具体的事例と不確実性の関係 193／ 18. マネタリーベース残高がゼロになった場合の金利コントロール 195

## 第Ⅱ部：参考文献 …………………………………………… 197

### Box

1. 取引金額による決済手段の棲み分け 17／ 2. クレジットカードの普及と金融政策 35／ 3. 国債投資信託を利用した決済システムと電子決済技術の可能性 46／ 4. 電子商取引における信頼の重要性と仲介業の役割 89／ 5. クレジット・スコアリング・モデルの概要 111／ 6. 情報技術革新と銀行の規模の経済 113／ 7. 銀行の特殊性の変化 115／ 8. 情報技術革新の下での金融機関経

営の変化 118／9. 生産性パラドックスを説明するいくつかの仮説 145／10. 新型金融商品の登場によるマネーサプライの定義の変化 147

**索 引** 203

# 第Ⅰ部
# 電子マネーと金融政策

第 1 章

# 電子決済技術とは

1 電子決済技術・電子決済手段
2 電子決済手段の特徴
3 電子決済手段の位置付け
4 電子決済技術の可能性

## 1.1 電子決済技術・電子決済手段

　第Ⅰ部は，ICカード，暗号，通信ネットワークといった情報通信技術を用いて，近年世界各地で盛んに開発が進められている，電子的に決済を行うための仕組み，「電子決済技術」を検討の対象としている．本書では，このような技術を利用した具体的な決済サービスを「電子決済手段」と呼ぶこととするが，「電子決済手段」は，これまでのところ，リテール取引を主な対象[1]としているものが多い（なお，リテール取引とは，消費者を主な対象とした小額・小規模の取引を指し，これに対して，企業を主な対象とした高額・大規模の取引を，ホールセール取引と呼ぶ）．近年，世界各地で実証実験が行われ注目されている「電子マネー」は電子決済手段の一例である．

　決済の電子化は，これまで中央銀行と民間銀行間，民間銀行と大企業間といった，ホールセール取引において広く進められてきたのに対して，リテール取引に関してはあまり進展してこなかった．しかし，最近，リテール取引を主な対象とした電子決済手段が多く提供されるようになってきたのは，①情報通信技術の発達により決済の電子化が低コストで実現可能になってきたことや，②近年，リテール取引の対象である新聞・雑誌の記事や音楽など，様々な情報がデジタル化されつつあり，これらを電子的に売買したいというニーズが高まってきたことなどが背景にあるものと考えられる．

　なお，リテール取引の決済においても電子化が可能となってきた技術的背景としては，①ICカード技術の発達により，大規模コンピューター・システムを構築しなくても，ある程度安全に金銭的価値を保管できるようになってきたこと，②暗号技術の発達により，①と同様に金銭的価値の保管に関する安全性が向上してきたほか，相手認証や送信データの秘匿の実現が現実的になってきたこと，③インターネットなどオープン・ネットワークの発達により，一般消

---

[1] 本章1.4節でも触れるが，当初はリテール取引をターゲットとして開発された決済手段であっても，その普及とともに，ホールセール取引でもそのメリットが認められ使用されていく可能性は否定できないことには，留意しておく必要がある．

費者でもデータ通信を低コストで利用できるようになってきたこと，が挙げられる（なお，オープン・ネットワークとは，ネットワーク間での情報通信に必要なデータ転送速度やタイミング，その他の取り決め〈プロトコル〉が社会的に公開され，広く共有されたネットワークの総称であり，その代表例がインターネットである）．

　現在，世界各地で様々な新しい電子決済手段が提案されているが，そのほとんどは既存の銀行預金の振替を何らかの形で利用しており，中央銀行の当座預金を中心とする既存決済システムから独立した全く新しいシステムが出現しているわけではない．しかし，電子決済手段の一部には，決済手段の提供主体が個々の取引を管理しないという分散処理性のような，預金振替による決済とは異なる性質を有するものも存在する．

　近年新しく登場してきた電子決済手段は，その金銭的価値がどこに存在し，どのように決済が行われるのかに応じて，ストアドバリュー型商品とアクセス型商品という2つに大きく分類することができる（図1-1）．以下では，まずそれらの特徴について説明を行う．

**ストアドバリュー型商品**

　ストアドバリュー型商品は，現・預金と引き換えに発行された電子的な情報である金銭的価値（または金銭的価値への請求権）を資金の保有者自身が管理するICカードやパソコン上のソフトウェア等に蓄えておき，財・サービスの購入時にこれを取引相手に引き渡す，またはこれを書き換えることによって電子的に決済を行う手段である．なお，この定義では，利用者の手元にあるICやパソコン内のソフトウェアでデータに対するコントロールを行うようにシステムを設計したという意味でストアドバリュー型商品と呼んでおり，価値の所在に関する法的解釈は異なり得る．一般的にはこのような決済手段を電子マネーと呼ぶことが多いようであり，本書でも単に「電子マネー」と表記した場合には，ストアドバリュー型商品を指すこととする．

　ストアドバリュー型商品は，いわばテレホンカード等ですでに普及している

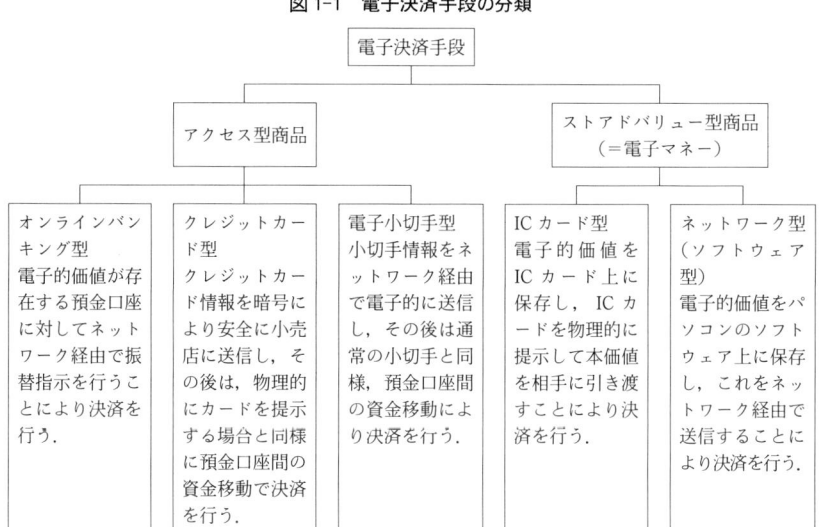

図1-1 電子決済手段の分類

プリペイドカードが，①ICカードや暗号技術の使用によりセキュリティが向上し，②特定の目的に限らずより汎用的に使用でき，③カード上の電子的価値を現・預金に元本で返還できるようになったものと捉えると理解し易い[2]．

一口にストアドバリュー型商品と言っても，このようにICカード上に電子的価値を保管する製品（ICカード型）と，汎用的なパソコンのソフトウェア上に電子的価値を保管し，電子的価値をネットワーク経由で送信することにより決済を行うネットワーク型（またはソフトウェア型）製品が存在する[3]．

ストアドバリュー型商品の仕組みの一例は図1-2のとおりである．

一般に，ストアドバリュー型商品が銀行預金の振替による決済より低コストで利便性が高いと言われているのは，図1-2のとおり，預金口座残高を減額していったん電子的価値に交換（図1-2中②のプロセス）した後は，決済手段の提供主体が利用者別に残高や個々の取引記録を管理しないことが主な理由であ

---

2) もちろん，具体的な製品レベルでは，汎用度に差があったり，元本での返還を認めていないものが存在したりする等，様々なバリエーションがあり得る．

3) もっとも，どちらの製品も金銭的価値が利用者の手元に保管（ストア）されているという意味では同じである．

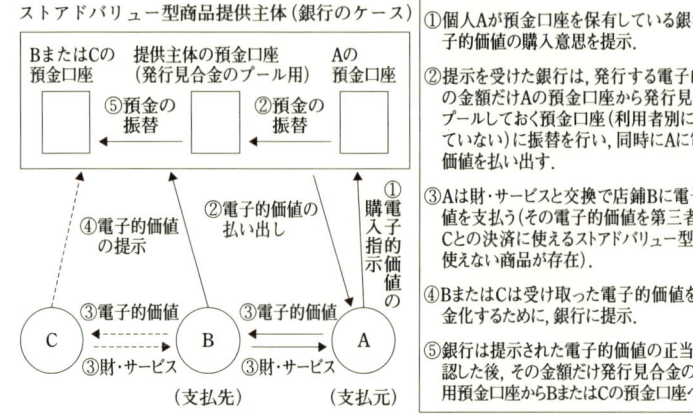

図1-2 ストアドバリュー型商品の仕組み（一例）

る．これは，その多くが小額（リテール取引では2〜3千円以下の取引）の決済を主な対象としていることから，処理の確実性（システム障害や価値紛失時の復元，不正処理の発見・追跡等）を若干犠牲にすることにより利便性を高めていることによる．

なお，財・サービスと交換で受け取った電子的価値の処理方法は各製品によって異なり，現・預金化しなくても他の主体との決済にそのまま使用できる製品（図1-2において，BがAから受け取った電子的価値をCとの決済に使用することが可能なもの）もあれば，必ず現・預金化しなければならない製品（図1-2において，BがAから受け取った電子的価値を必ず提供主体に提示し預金化しなければならないもの）も存在する．前者のような性質は「転々流通性」（金銭的価値が発行主体に還流せずに銀行システム外で流通する性質）と呼ばれ，ストアドバリュー型商品が現金に類似していると言われるのは，この性質によるところが大きい．ただし，実証実験中の製品には転々流通性を有しないものが多く，これらは，銀行預金への請求権である電子的価値を取引で使用可能にしているものの，決済の度に電子的価値を預金化しなければならないため，単に預金振替の利便性を高めているのに過ぎないとも考えられる．このことは，一つの発行主体の提供する電子決済サービスですべての決済を賄える

わけではないため，経済全体でみた時に転々流通性が実現するためには，決済サービス間での互換性やクリアリングの仕組みが確保されることが重要であることを示している．

**アクセス型商品**

　アクセス型商品は，インターネットをはじめとする各種ネットワークや汎用のパソコン等を用い，預金振替等の集中処理型の決済手段に対して，遠隔地から支払指示を行うことにより電子的に決済を行う手段である．アクセス型商品における金銭的価値は利用者の手元ではなく，常に銀行の預金口座等決済手段の提供主体に存在する．したがって，アクセス型商品の新規性は，単体でも独立して存在し得る決済手段を，通信技術や暗号技術を用いて遠隔地から安全に利用できるようにしたことにある．多くのアクセス型商品は銀行預金の振替で決済を行っているが，これらは，ストアドバリュー型商品と比較すればシステム障害や価値紛失時の復元，不正処理の発見・追跡の面で信頼性が高いと考えられる．

　アクセス型商品の例としては，最近，汎用的で低コストなパソコンやインターネット通信を利用して一般家庭から自らの預金口座に対して振替依頼を行えるようになってきたことが挙げられる（図 1-1 中のオンラインバンキング型）．このようなサービスは，大企業が銀行との間で約 20 年前から使用され始めていたファームバンキング提供サービス（銀行と通信回線経由で社内の専用端末や電話を結び，残高照会や資金移動指示を行えるようにするサービス）のうちの一部が，通信技術や暗号技術の発展により，消費者や中小企業でも利用できるまでに低コスト化されてきたものと理解できる．

　また，インターネットのホームページ上でクレジットカード番号と有効期限を暗号技術により安全に送信できるようにする決済手段（図 1-1 中のクレジットカード型）のほか，米国を中心に実験が行われている電子化された小切手をネットワーク上で切ることによって支払を行う決済手段（図 1-1 中の電子小切手型）もアクセス型商品であると考えられる．

そもそもATMを通じた預金振替，クレジットカード，デビットカード自体も遠隔地のATMや加盟店端末からネットワーク経由で金銭的価値を管理するコンピューター・センターにアクセスして決済を行う手段である．このうち，デビットカードは，小売店のレジで提示し，暗証番号を入力することにより，自らの預金口座から購入金額を即時に減額させて決済を行うためのカードのことであり，通常，銀行のキャッシュカードをそのままデビットカードとして使用できる．わが国では1999年より全国規模でサービスが展開され始めたが，同様のサービスは「銀行POS」として約10年前から商店街やショッピングセンターといった地域ネットワーク単位でサービスが提供されてきた．これらの決済手段は，遠隔地からも預金振替を簡単に行えるという意味で預金振替の利便性を高めているという点では，近年登場してきたアクセス型商品と本質的に同じであり，アクセス型商品はこれら決済手段の延長線上の技術として出現してきたと理解できる．

　なお，クレジットカードやデビットカードによる決済では，加盟店・利用者がクレジットカード会社のデータベースや銀行預金口座にアクセスするために，主に第三者を物理的に遮断した専用のネットワーク（クローズド・ネットワーク）を利用しているのに対して，近年登場しているアクセス型商品では，電子商取引におけるクレジットカード番号の送信に代表されるように，インターネットという汎用的な技術を用いた第三者も相乗り可能なネットワーク（オープン・ネットワーク）を利用するケースが多い．このため，後者では，暗号技術やICカード技術を活用して安全性を確保しようとするニーズがより高いと言える．

　技術進歩の中でどの決済手段を「電子決済手段」として扱うかということには様々な考え方があり得るが，1996年のBISレポート（BIS［1996］）では，「アクセス型商品は，汎用パソコンやインターネット等電子的なコミュニケーション手段を用いて，クレジットカードや預金振替等従来型の決済サービスを利用可能とする製品」として，従来から存在する預金振替，クレジットカード自体はアクセス商品に含めず，近年登場してきた決済手段に焦点を当てている．

図 1-3 アクセス型商品の仕組み（一例）

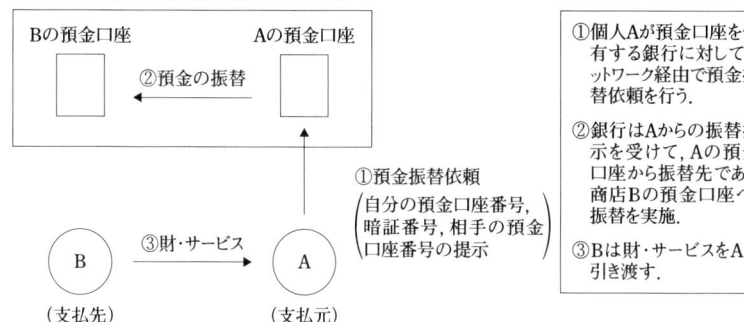

この定義に倣い，本書でも便宜上，登場後かなりの期間が経過している預金振替，クレジットカード，デビットカード自体は「電子決済手段・アクセス型商品」に含めないこととする．しかし本書では，過去，欧米でクレジットカードやデビットカードの登場が金融政策に与えた影響を検討することにより，アクセス型商品を含む電子決済手段による影響を考えるうえでの参考とする．

アクセス型商品の仕組みの一例は図 1-3 のとおりである．

**決済手段の分類**

以上のように定義された「アクセス型商品」や「ストアドバリュー型商品」といった「電子決済手段」と，既存の決済手段の違いは，処理形態と情報通信技術の利用度合いの 2 つの基準を用いて決済手段を分類することにより[4]，容易に理解することができる（図 1-4）．なお，ここで処理形態とは，債権・債務の相殺をセンターで集中して一元的に行うのか，それとも分散的に当事者間のみで直接行うのか，また，情報通信技術の利用度合いとは，紙，カードといった物理的媒体に依存したアナログ的な決済手段を利用するのか，それとも，

---

[4] もちろん，この他に，発行主体（銀行，ノンバンク），支払時点（前払い，即時払い，後払い）等様々な分類の基準が存在するが，ここでは決済手段の仕組み上の発展に着目するため，処理形態と情報通信技術の利用度合いの 2 つの基準により分類した．

図 1-4　決済手段の分類

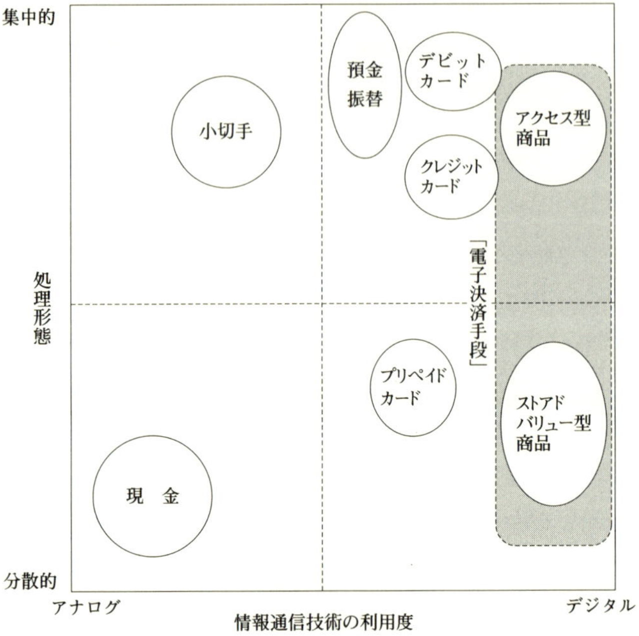
集中的
分散的
処理形態
アナログ
デジタル
情報通信技術の利用度
預金
振替
デビット
カード
小切手
アクセス型
商品
クレジット
カード
「電子決済手段」
プリペイド
カード
ストアド
バリュー型
商品
現　金

暗号技術や通信技術を高度に利用したデジタル的な決済手段で行うのかの違いを指している.

この分類に基づけば,「アクセス型商品」は, 図 1-4 のとおり, 預金振替, クレジットカード, デビットカードなどの集中的な処理形態の中で, 一連の技術の進展により登場してきたものであることが分かる. ここで,「ストアドバリュー型商品」と「アクセス型商品」を合わせた「電子決済手段」は, 図 1-4 の右端（網掛け部分）を指す.

## 1.2　電子決済手段の特徴

本節では, 電子決済手段の主な特徴を簡単にまとめる. ただし, これらは現

時点で存在する多くの電子決済手段の特徴であり，今後，技術開発が進み，個々の製品が変化していくのに伴い，電子決済手段全体としての特徴も変化していく可能性があることに留意する必要がある．その可能性については本章1.4節で触れることとする．

① 「決済のために使用」

そもそも貨幣は，価値尺度，決済手段，価値保存という3つの機能を有しているが，そのうち電子決済手段の主たる目的は，文字どおり決済手段としての使用が中心である．

② 「民間企業が提供」

現在，電子決済手段は，基本的に民間企業により提供されている．ただし，フィンランドのように，中央銀行（の子会社）がストアドバリュー型商品を提供していた例も存在する．また，日本銀行が提供する決済システムである「日本銀行金融ネットワークシステム」（略して「日銀ネット」と呼ばれる，日銀当座預金の受払や国債の受渡をオンライン処理により効率的かつ安全に行うためのコンピューター・ネットワーク）も電子的な決済手段ではあるが，パソコンやインターネットの発展とともに近年登場してきた多くの決済手段の特徴を重視すれば，電子決済手段は民間企業により提供されていると言って差し支えないと考えられる．

③ 「電子的情報の交換のみにより完了」

電子決済手段では，支払元，支払先，発行体のすべての関係主体間において電子的情報の交換のみで決済が完了するため，現金のような物理的な媒体を使用する決済手段では制約が大きかった地理的要因の重要度は低下する．この性質により，電子決済手段においては，利用者がかさばる現金を持ち歩く必要がなく，小売店にとっては現金の管理負担を軽減できるといったメリットがあるほか，遠隔地との取引，特に国境を越えた取引では，従来よりも格段に低コス

トで決済できるようになる．

④「現・預金との引き換えで発行」（ストアドバリュー型商品の場合）

　ストアドバリュー型商品においては，少なくとも当面に限れば，電子的価値は現・預金と引き換えにより発行されることが，決済手段として使用される前提になっていると考えて差し支えないだろう．これは，ストアドバリュー型商品の仕組みや技術的な制約よりも，むしろ，現状では一般受容性が低いことから，政府・中央銀行の発行する貨幣に100％払い戻されるという保証のない決済手段が大きく普及することは考えにくいためである．

⑤「前払いによる決済」（ストアドバリュー型商品の場合）

　消費者の立場から現・預金による支払時点を財・サービスの購入時点と比較すると，ストアドバリュー型商品は前払決済に分類される[5]．このため，ストアドバリュー型商品では，現・預金により電子的価値を購入してから財・サービスを購入するまでの期間に得られるはずであった金利収入を損失していることになる．

⑥「分散処理的なスキーム」（ストアドバリュー型商品の場合）

　ストアドバリュー型商品では，消費者間または消費者と小売店間で電子的価値が正しく受け渡されたかどうかは，発行主体が集中的に管理するのではなく，ICカードやパソコン上のプログラムが分散処理的に管理する仕組みになっている．このため，受け取った電子的価値を発行主体に還流させることなく転々流通できるという現金に類似の性質を有する製品も存在する．

---

[5] ちなみに，預金振替やデビットカードは即時（同時）決済，クレジットカードは後払決済である．

## 1.3 電子決済手段の位置付け

　現在，決済手段は，特定の手段があらゆる場面で使用されるのではなく，様々な条件に応じて複数の手段が使い分けられ，いわば「棲み分け」られている状態にある．電子決済手段が当面のターゲットとしているリテール取引において，決済手段が棲み分けられている状況下，どのような位置付けで使用されるようになるのかを考えておくことは，その経済活動全体の中でのポジションを把握するうえでも有益である．本節はこの点について検討を行うこととするが，その際，棲み分けの次元としては，取引形態と取引金額を考慮することとする．

　以下では，現時点での各種決済サービスの仕組みやその提供主体の経営ポリシーが変わらないことを前提として，電子決済手段が普及した場合の位置付けを検討する．なお，ここで提供主体の経営ポリシーとは，現在，クレジットカードでは，1回払いで支払っている利用者は約1ヵ月間与信を受けていることに伴う金利分を負担していないこと，デビットカードやストアドバリュー型商品では，利用者は手数料を支払っていないことを念頭に置いている．これらの前提が崩れた場合の電子決済手段の可能性については次節で触れることとする．

**取引形態による棲み分け**

　電子的情報の交換により決済を行う電子決済手段，とりわけアクセス型商品およびストアドバリュー型商品のうちネットワーク型の製品[6]は，現金のような物理的媒体を使用する決済手段と比較して電子商取引に適していると考えられる．なお，電子商取引とは，経済主体間での財・サービスの商業的移転に関わる財・サービスの受け渡しや情報，金銭の授受を，ネットワークを利用した電子的媒体を通して行う取引のことである．第Ⅱ部で詳しくみるように，電子商取引の規模はかなりの水準に達しており，その決済の多くは，クレジットカ

---

[6] 電子的価値を保存する媒体としてICカードを用いるICカード型の製品でも，パソコンにICカードリーダー（ICカードに保存されている情報をパソコンに転送するための装置）を接続して，電子商取引に使用できるものも存在する．

ード番号と有効期限をインターネット上で入力する電子決済手段（アクセス型商品）により行われているものと考えられる．また，この市場規模は一層拡大するとの見方が多く，今後，さらなる電子商取引の拡大が，電子決済手段の普及を促進する可能性は大きいと考えられる[7]．

　一方，これまで対面取引型（当事者同士が Face-to-face で財・サービスの購入にかかる取引行為を行うこと）の電子決済手段の実証実験が世界各地で盛んに行われているが，単に現金を持ち歩かなくてもよいというだけでは利用者がメリットを感じにくいと指摘されることが多い．実際，対面取引において電子決済手段が広範に普及しているケースは，現時点ではほとんど存在しない．

　したがって，電子決済手段が電子商取引に特化して使用されるようになるのか，それとも対面取引を含め広く使用されるようになるのかは現時点では見極めが困難である．電子決済手段が決済全体に占める量的な位置付けを考える場合，この点の見極めは重要であるため，今後とも実証実験の結果等をフォローしていく必要があろう．

**取引金額による棲み分け**

　現在，リテールの対面取引においては[8]，わが国では小額の決済には現金，より高額の決済ではクレジットカードが一般的に使用されており，欧米では，現金とクレジットカードの中間の金額帯における決済手段としてデビットカードが普及しつつある．この状態で電子決済手段が普及していく場合，どのような取引金額帯を占めるようになるのだろうか．ここでは，ストアドバリュー型商品とアクセス型商品に分けて検討する．

　まず，ストアドバリュー型商品については，小額の取引を対象としてマーケティングされているものが多く，実証実験の統計データを見ても1取引あたりの平均金額は数百円から2千円程度とこれを裏付ける形となっている．また，

---
　7）　わが国では，電子商取引以外の決済手段として代金引換決済などの電子決済手段以外の選択肢も存在するが，これらはコスト面で不利であると考えられる．
　8）　電子商取引では，まだ決済手段の棲み分けが確立していないと考えられるため，ここでは対面取引を中心に検討を行う．

現在行われている実証実験での IC カードやパソコン上のソフトウェアへの搭載可能金額の上限も，多くても数万円以下に制限されているケースがほとんどである．

このようにストアドバリュー型商品が小額取引を対象としている理由は，①これまでのところ電子化が進んでいないリテール取引を対象として開発されてきたことに加えて，②取引金額が高額になるにつれて，事前に現・預金と引き換えで電子的価値を受け取った後，決済までの期間に損失する金利（機会費用）が大きくなること，③クレジットカードの場合，決済金額が高額になるほど支払を約1ヵ月先送りできるメリットが大きいこと，が考えられる．これらの理由から，ストアドバリュー型商品は，少なくとも当面は，小額の決済が主な対象になると考えるのが妥当であろう（【Box 1】参照）．

また，アクセス型商品については，クレジットカード決済や口座振替を遠隔地から利用しているだけであるため，1取引あたりの平均金額はストアドバリュー型商品に比べ高額になるものと予想される．

## 【Box 1】取引金額による決済手段の棲み分け

取引金額に応じて決済手段がどのように棲み分けられているかを体系的に説明することは，一般に困難である．しかし，一つの直感的なアイディアとして，利用者は選択できる決済手段の中から自分にとって最もコストが低いものを選択する，と考えることもできよう．こうした想定に基づけば，そのトータルな利用者コスト[9]は決済手段ごとに取引金額に応じて変化するため，取引金額帯により決済手段が棲み分けられると考えられる．ここでは，こうしたアイディアに基づいて，取引金額による決済手段の棲み分けを分析した伊藤（隆）・川本・谷口 [1999] の概要を紹介する．

取引金額帯により決済手段が棲み分けられるとの考え方に対しては，利用者コストだけでなく，小売店やサービス提供主体が負担するサービス提供コストの大

---

9) 一代表的個人にとってのコストであり，各決済手段にかかるコストは，実際には個々人により異なる．また，機械の設置費用といった初期コストは本コストには含まれない．

小も考慮すべきだという考え方もあり得ようが，ここでは，提供者にかかるコストも，長期的に見れば結局は価格を通じて利用者に帰着するはずである，という前提に立っている．また，一般に，決済手段の選択を考慮する際には，コストだけではなく，取引相手のデフォルト時の対応等決済に伴うリスクについても考慮する必要があるが，取引金額の少ないリテール取引の決済に関しては，そうしたリスクの重要性はさほど高くないと指摘されている（Berger, Hancock, and Marquardt [1996]）．

トータルな利用者コストは，具体的に以下のコストで構成される．

| 名　称 | 説　明 |
|---|---|
| 直接コスト | 発行体，加盟店において当該決済手段が生産および処理された時に実際に消費された資源の価値． |
| フロート・コスト | 支払いが申請された時点と，利用者が実際に現金や預金口座の減額等により支払う時点の間における金利収入の損失分． |
| セキュリティ・コスト | 決済時の安全性を確保するために要するコスト． |
| ハンドリング・コスト | 決済手段の移動や決済手続きにかかるコスト． |
| アベイラビリティ・コスト | 決済手段の使用可能性に伴うコスト．取引金額に拘らず加盟店・端末が増えるにつれてその決済手段を利用するための費用は相対的に低くなるため，通常新しい決済手段は既存決済手段に比べてアベイラビリティ・コストが高い． |

　対象となる決済手段としては，わが国においてリテール取引に汎用的に使用されている，現金，クレジットカード，および欧米ではすでに普及しつつあるデビットカード，の3つを考える．また，対面取引において，一代表的個人が与信を受けずに消費を行うことができる範囲の金額での決済を対象とする[10]．分析にあたっては，簡単化のため，クレジットカードに関しては，利用者は1回払いで支払いを行うこととし，その際，決済ごとには手数料や金利を支払う必要がないことを前提とする．

　なお，デビットカードは，前述のとおり小売店で銀行のキャッシュカードを提示し，ATMやCDと同様に暗証番号を入力することにより，即時に預金口座の残高を減額することにより財・サービスを購入する決済手段であり，わが国でも1999年初からサービスが開始されている．ここではデビットカードが普及した状態を仮定し，そのトータルな利用者コストを検討する．

　各々の決済手段におけるトータルな利用者コストは次の表のように取引金額に

---

10)　なお，ここでは，3つの決済手段は決済機能について同じ効用が得られていると仮定している．

|  | 直接コスト | フロート・コスト | セキュリティ・コスト | ハンドリング・コスト | トータル利用者コスト |
|---|---|---|---|---|---|
| ①現金 | ↗ | ↗ | ↗ | ↗ | ↗ |
| ②デビットカード | → | → | → | → | → |
| ③クレジットカード | → | ↘ | → | → | ↘ |

(↗：取引金額に応じて増加，→：取引金額により変化しない，↘：取引金額の増加に伴い減少)

応じて変化すると考えられる．

具体的には，①現金に関しては，取引金額が高額になるほど，セキュリティ・コスト（盗難に遭う可能性），ハンドリング・コスト（持ち運びの不便さ），フロート・コスト（金利収入の損失）が大きくなるため，そのトータルな利用者コストも大きくなると考えられる．②デビットカードについては，セキュリティ・コスト，ハンドリング・コストは取引金額によりさほど変化しないと考えられるほか，財・サービスの購入と同時に決済が完了するためにフロート・コストがほぼゼロになることから，トータルな利用者コストは取引金額によりほとんど変化しないと考えられる．③クレジットカードは後払い方式の決済手段であるため，取引金額が大きくなるにつれて，フロート・ベネフィットは大きくなる．また，デビットカードと同様，セキュリティ・コスト，ハンドリング・コストは取引金額によりほとんど変化しないと考えられる．したがって，そのトータルな利用者コストは取引金額に応じて減少すると考えられる．

デビットカードでは口座開設のための手続き，クレジットカードでは会員申請の手続きや年会費，決済手段として使用するまでのセットアップに必要なコストが存在するため，次頁の図におけるデビットカード，クレジットカードの縦軸の切片（1件あたりの取引金額がゼロの時のトータルな利用者コスト）は，現金と比較すると高くなっているものと考えられる．

また，クレジットカードは，現金やデビットカードと異なり与信機能を有するため，現金やデビットカードでは手元流動性が不足するために決済が不可能な取引金額でも使用可能になると考えられる（図中では，現金やデビットカードのトータルな利用者曲線はクレジットカードのそれよりも低い取引金額までしか存在しないことになる）．

したがって，取引金額に応じたトータルな利用者コストは次頁の図のようになり，各取引金額帯でコストが最も低い決済手段（図中太実線部分 OABC）が選

択される.

　一方，ストアドバリュー型商品は，事前に現・預金と引き換えに発行される決済手段であることを考えると，発行から使用されるまでの期間にかかるフロート・コストは取引金額に応じて増加する．一方，ハンドリング・コストやセキュリティ・コストは，デビットカードやクレジットカードと同様にさほど取引金額に応じて変化しないものと考えられる．したがって，ストアドバリュー型商品のトータルな利用者コストは，現金ほどの傾きではないものの，取引金額に応じて増加するものと考えられる（図中太点線部分 SS）．

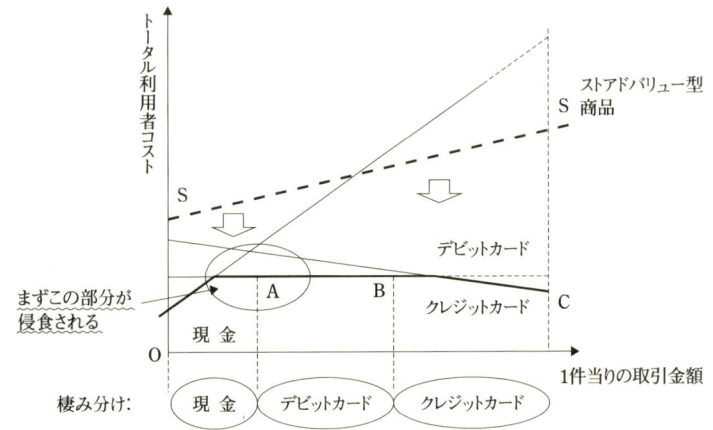

　これらを総合的に考えると，ストアドバリュー型商品の普及に伴いそのアベイラビリティ・コストが低下し，その結果トータル利用者コストが下がってくれば（図中，太点線 SS の下方シフト），まず当面は，現金とデビットカードの中間辺り（A）の小額の金額帯から侵食していくものと考えられる．

　ただし，デビットカードやクレジットカードに関しても，IC カード技術を利用して信用照会コストを軽減することや，情報技術革新によってセンターへのアクセスにかかる通信コストやホストコンピューターの運営コストが削減されることも予想されている．したがって，これらの決済手段がストアドバリュー型商品に対するコスト競争力を失ってしまうわけではないと考えられる．

　上記のような推論に基づけば，ストアドバリュー型商品は少なくとも当面はよくても小額で使用されるのにとどまると予想される．

## 1.4 電子決済技術の可能性

電子決済手段は多くの新技術から構成され，また関連主体も多岐にわたることから，その将来の姿や利用方法は，情報通信技術の発達や各主体の経営戦略といった予測しがたい要因に大きく依存するため，これを理論的に予想することは非常に困難である．このため，これまで本章では，現時点における技術や決済の仕組みが変化しないことを前提とすることにより，当面可能性が高いと考えられる電子決済手段のあり方について検討してきた．

しかし，それだけでは中長期的な電子決済技術の可能性について見誤ることがあり得るため，本節では電子決済手段が潜在的に有する可能性について広く列挙することとする．もとより，電子決済手段の発展の方向については以下で示したとおり様々な可能性があり，現時点でその方向性を見極めることは極めて困難であるため，電子決済技術の発展については今後とも注意深く見守っていく必要がある．

### ①デジタル財の普及

物理的媒体ではなく情報自体に価値があると考えられる財（いわゆる「デジタル財」．具体的には，ニュース，書籍，音楽，金融商品等が該当する）は，物理的媒体に記録して流通させなくとも，その性質上，商品展示・購入指示・配送をすべてネットワーク上で行うことが可能である．このため，デジタル財の商取引において，決済のみを現金をはじめとする物理的媒体を用いて行うことは，企業・消費者の双方にとり非効率的である．したがって，不正を防ぐセキュリティ技術やデジタル財の著作権の取扱いといった様々な問題がクリアされる必要はあるが，デジタル財の取引が経済活動全体に占める割合が大きくなれば，これに伴い電子決済手段の使用も促進される可能性があると考えられる．

なお，デジタル財に関しては，ニュース記事一つや楽曲一つといった数円から数十円程度の非常に小額の決済（いわゆる「マイクロペイメント」）が拡大する可能性が指摘されている．前述のとおりストアドバリュー型商品には，小

額の決済に使用することを前提として低コストで運営できるように開発されたものが多く，近年，マイクロペイメントに対象を絞った製品さえいくつか登場してきた．これらの製品の登場により，これまでは商取引の対象とならなかった，非常に小額のデジタル財取引が拡大する可能性があると考えられる．ただし，アクセス型商品がストアドバリュー型商品に比して高コストであることの大きな要因である，通信コストや大規模コンピューター・システムにかかるコスト（管理コストを含む）が将来大きく低下すれば，アクセス型商品も広く小額決済に使われるようになる可能性があることにも留意しておくべきである．

②既存銀行間決済システム外での決済の普及

　本章1.2節で指摘したとおり，ストアドバリュー型商品は分散処理的であり，すでに技術的には転々流通性を有している製品も存在するが，現時点では実際に電子的価値を転々流通させているケースは少ない．その理由としては，一般受容性の低さ等が考えられるが，それらがクリアされれば，実際に電子的価値を直接関係者間でやり取りするだけで決済を完了させてしまうケースが増えてくると考えられる．また，アクセス型商品であっても，仮に電子決済手段の提供主体との間で既存銀行間決済システムとは異なる決済システムを組織するようになれば，それが主流となる可能性も存在する．このように，電子決済手段を用いることにより，将来的に既存銀行間決済システムの外での決済が普及する可能性は否定できない．

③電子機器を用いたサービスとの組み合わせ

　電子決済手段では電子的情報の交換により決済を行うため，様々な電子機器を用いたサービスの提供と親和性が高い．すでに実用化されつつある例としては，公衆電話，電車・バスの自動改札，高速道路の料金所での支払いが挙げられる．電子機器と電子決済手段が組み合わされることにより高い利便性が得られるのであれば，電子決済手段が大きく普及する可能性もある．

### ④高額決済での使用（ストアドバリュー型商品の場合）

ストアドバリュー型商品は，本章1.3節で述べたとおり当面は小額決済を中心に使用される可能性が高いが，将来，仮にその信頼性が大きく高まり，個別の取引記録や残高を管理しないことがデメリットと考えられないようになれば，その自由度の高さやコストの低さといったメリットを求めて，現在銀行預金の振替で行っている非常に高額な決済にも使用されるようになる可能性もある．

### ⑤電子的価値への付利（ストアドバリュー型商品の場合）

前述のとおり，現時点ではストアドバリュー型商品の電子的価値に付利されるケースは多くないが，仮に将来，競争の激化をはじめとする様々な要因により付帯サービスを含めて魅力的な金利が付されるようになれば，銀行預金（特に普通預金や当座預金）を代替する程度が大きくなることが予想される．

### ⑥現・預金との引き換えによらない発行（ストアドバリュー型商品の場合）

本章1.2節で指摘したとおり，ストアドバリュー型商品は，少なくとも当面は，中央銀行が発行する通貨と引き換えられることを前提として決済に使用される可能性が高い．しかし，あるストアドバリュー型商品が，信頼性を勝ち得て広く普及した後，現・預金とは独立に発行体自らの信用に基づいて発行されるようになる可能性については検討の余地がある（この点については第2章2.5節を参照）．

# 第 2 章
# 電子決済技術の普及と金融政策

1 電子マネーは現金か預金か？
2 電子決済技術の普及と信用創造
3 電子決済技術と貨幣需要関数
4 電子決済技術の進展と金融調節・準備預金制度
5 電子決済技術の普及が中央銀行シニョレッジに及ぼす影響

本章では，ストアドバリュー型商品やアクセス型商品といった電子決済技術の普及が，中央銀行の金融政策運営に対してどのような問題を提起するかについて，検討を行う．

ただし，以下では専ら電子決済技術の普及が中央銀行のマネーサプライ・コントローラビリティにどのような影響を及ぼすかという点に議論を限定する．これは，ひとつには，金融政策と実体経済のリンクを考える場合，電子決済技術進展の影響だけを単独で論ずるよりも，むしろ情報技術革新という大きなトレンドの中で考えていく必要があるためである．例えば，情報技術革新によって金融経済構造が変化し，それに伴って，金融政策の波及経路も変化すると考えられる．さらに，情報技術革新は，財・サービスの品質の変化を通じて，金融政策の最終目標である物価概念にも大きな影響を及ぼす可能性がある．このように考えると，電子決済技術の進展は広範な技術革新の一部に過ぎず，より幅広い観点から，金融政策の波及経路やその有効性の変化，さらに，最終目標の選択など金融政策運営の理念自体も捉え直す必要がある．この点については，第II部で詳しく検討する．

なお，中央銀行は，物価安定を目的とした金融政策のみならず，金融システムの安定を目的として，信用秩序維持政策（プルーデンス政策）も行っている．電子決済技術の進展は，異業種からの決済業務への参入や，決済機能の高い新型の金融商品の登場などを促し，金融システムの安定性に影響を与える可能性があるため，信用秩序維持政策のあり方にも，何らかの問題を提起すると考えられる．しかし，この問題は，金融政策に主眼を置く本書の範囲を超えるため，ここで問題の存在を指摘するにとどめることにする（Appendix 1 では，こうした観点から，電子マネーが金融システムの安定性にどのような影響を与えるかについて，ひとつの考え方を紹介しているので，そちらも参照されたい）．

## 2.1 電子マネーは現金か預金か？

　電子決済技術の普及が金融政策運営に及ぼす影響を論じる場合，「どのような発展段階にある電子マネーを対象に金融政策への影響を考えているのか」を明確にしてから議論を進めることが極めて重要である．例えば，現在の銀行預金の延長線上にある，マネタリーベースとの交換が保証された電子マネーを念頭に置いた議論と，ハイエク的なフリーバンキングがあたかも第2中央銀行のように電子マネーを発行する状況を念頭に置いた議論とでは，前提条件が相当異なってくる．よく知られているように，ハイエクは，その著書『貨幣発行自由化論』（1976年）の中で，中央銀行による不換紙幣の独占発行を廃止し，民間銀行にも貨幣発行権を与えれば，複数通貨間の競争の結果，購買力の最も安定した（一番インフレ率の低い）貨幣が生き残るはずである，とのフリーバンギング論を主張した．後の議論をわかり易くするため，以下では「電子マネーを経済機能的にどのようなものとして捉えるべきか」について明らかにすることから始めることにしよう．

　こうした問いに対するひとつの答えは，当面は電子マネー（ストアドバリュー型商品）を「決済手段として利用し得る，新たな民間銀行負債の一形態」であると捉えたうえで，その登場を「新型預金」の登場と「割り切って」理解してはどうか，という考え方である．ここでは，支払手段として利用可能な負債を発行する企業を，便宜上すべて「民間銀行」と定義している．つまり，ここで言う「民間銀行」とは，既存の銀行と電子マネーの発行を契機に決済業務に新規参入する企業の両者を含む概念である．

　このとき注意しなければならないのは，電子マネーを「現金」としてではなく，あくまで「預金」として捉えている点である．なお，ここで言う「現金」とは，その受け渡しによって支払いが完了する（「ファイナリティ」を有する）決済手段であり，専ら中央銀行など公的機関の負債として提供されているものと解釈している．それに対し，民間銀行の負債である「預金」は，それ自体はファイナリティを持たないが，「現金」との交換が保証された決済手段である

と考えている．電子マネーは当事者間決済の分散処理を可能とし，スキームによっては転々流通させることもできるという意味で，極めて「現金」に類似した性質を持つ．しかしながら，（少なくとも当面は）電子マネーは通常の銀行預金と同様に現金（中央銀行券）に100％払い戻すことができるという保証あるいは信頼無くして，広範に流通するとは考えにくい．その意味で，当面は，電子マネー自体はあくまで民間銀行の発行する負債すなわち「預金」であって，中央銀行という公的機関の負債である現金や準備預金のようにファイナリティを提供するものではない，と考えるのが妥当である[11]．

一方，クレジットカードの高機能化を図ったものやオンラインバンキング（図1-1参照）といったアクセス型商品はどのように考えるべきであろうか．第1章ですでに述べたように，アクセス型技術とは，電子的な方法によって既存預金の振替といった資金移動の指図を容易化，迅速化する技術である．このように考えると，アクセス型商品は既存の銀行預金の利便性（商品性）を向上させたものであるという意味で，これも新型預金の登場と機能的には等価であると考えて何ら差し支えないと言える．

したがって，次節以降ではストアドバリュー型，アクセス型を問わず電子決済手段の登場は，利便性の高い「新型預金」の登場であると理解した上で，その金融政策への影響を考えていくことにしよう．

## 2.2 電子決済技術の普及と信用創造

電子決済技術普及による中央銀行のマネーサプライ・コントローラビリティへの影響を考える場合，それが従来型の銀行預金を通じた信用創造プロセスをどのように変化させるかが決定的に重要である．

---

11) ただし，電子マネーが現金のようにファイナリティを有するようになる，つまり電子マネーが不換紙幣として流通するようになる可能性を完全に否定することはできない．そうした可能性については，本章2.5節で検討を行う．

**電子決済技術の普及と信用乗数の上昇**

　最もシンプルな信用乗数に基づいて考えた場合（信用乗数は，中央銀行の供給するマネタリーベース B によって，どの程度マネーサプライ M が創出されるのかを表わすものであり，M/B によって定義される），電子マネーの普及[12]によって，信用乗数は上昇することが容易に確かめられる（詳しくは Appendix 2 を参照）．こうした結果は，電子マネーが現・預金を代替するものであり，かつ準備預金義務が課されない[13]とする限り，いわば当然導かれるものである．しかも，こうした教科書的な信用乗数論の世界では，信用乗数の上昇自体は本質的な問題を惹起するものでもない．つまり，電子マネー普及後の金融政策について，「単にアクセルの利きがよくなったのなら緩く踏めばよい」という理論的帰結を導くことも可能である．しかしながら，こうしたシンプルな考え方に対しては，以下のような問題点も指摘可能である．

　まず第 1 に，電子マネーの普及過程においては，信用乗数の動きが不安定化する可能性が高いという問題がある．元来，信用乗数は不安定なものであるとしても，その動きは「循環的」なものであったのに対し，電子マネー普及過程においてはその動きに上方トレンドの変化も加わることになる．したがって，電子マネーの普及過程では，信用乗数の動きを予測することはより困難となり，マネタリーベースを通じたマネーサプライ・コントロールもより難しくなる可能性が高い．

　第 2 の問題は，電子マネー発行体の資産サイドで行われる「与信」の内容に関してである．Appendix 2 で展開したようなシンプルな信用乗数論の世界では，通常の銀行の与信内容と電子マネー発行体のそれは無差別であることが

---

12) ここでは，一応，従来型の銀行預金と区別する目的で，ストアドバリュー型商品を念頭に置いて議論している．しかし，法定準備の課されていないアクセス型商品と置き換えて考えても以下の議論に何ら差し支えはない．

13) 法定の準備預金義務が課されていないからといって，電子マネー発行体が全く準備を保有しないと考えるのは現実的ではない．前述のとおり，電子マネーを「新型預金」と考える以上，発行体は決済や引出しに備え必ず支払準備を保有するはずである．むしろここで重要なのは，電子マネー発行体は通常の銀行と比べて準備保有を節約する可能性が高いということである．このことは，後述のように信用乗数がどの程度まで上昇するのかを考える場合においても非常に重要な点である．

(暗黙のうちに）前提とされている．しかし，電子マネー発行体と通常の銀行の与信内容が大きく異なるものとなる可能性も否定できない．実際，1998年6月に公表された金融制度調査会「電子マネー及び電子決済の環境整備に向けた懇談会」報告書では，電子マネーの発行見合い金を分別管理し，安全で流動的な資産への運用を義務付ける方向性が示されている．仮に電子マネー発行体の与信内容がこうした方向で規制されるのであれば，中小企業をはじめとする比較的リスクの高い顧客に対して貸出を行っている銀行の資産内容と，電子マネー発行体のそれが無差別であるという前提は適当でないことになる．いずれにせよ，ストアドバリュー型商品に限らず様々な電子決済手段の提供主体の資産サイドで，どのような内容の与信・運用が行われるのか，今後注意深く観察していく必要がある．

　第3に，どこまで信用乗数は上昇する可能性があるのかという問題がある．仮に信用乗数がほぼ無限大にまで上昇していく場合，金融政策の有効性は本当に維持されるのかどうか疑問の余地も大きい．そこで，以下では電子決済手段の普及によって信用乗数が無限大となる可能性があるのかどうかについて，やや詳細に検討することにしよう．

**電子マネーを通じた信用創造**

　通常の預金を通じた信用創造の場合，中央銀行の供給する準備がマネーサプライ・コントロールのためのいわゆる「アンカー」として機能していることはよく知られている．これに対し，電子マネーを通じて信用創造が行われる場合には，「アンカー」としての法定準備が存在しないために，電子マネー発行体部門は貸出を増加させ続け，ひいては信用乗数も無限大に発散してしまうのではないかと懸念されることがある．具体的には，例えば実質GDPは潜在GDPによって制約され，これ以上増えようがない状況にあるにもかかわらず，電子マネー発行体による貸出が無限大に増え続けるためにインフレに陥ってしまうのではないかと懸念されることがある[14]．しかしながら，以下の4つの理由により，「電子マネー発行体が無限に貸出を増人し続けるという状況は想定し難

い」ということが言えるであろう．

　その理由の第1は，すでに述べたように，たとえ電子マネーに法定の準備預金が賦課されていない場合でも，発行体は決済や引出しに備え現金か預金の形で支払準備を保有する可能性が極めて高いという点が挙げられる．確かに，電子マネー発行体は従来の銀行に比べ支払準備を節約することができる可能性はあるものの，それが全くゼロになるとは考えにくい．

　第2は，「leakage（漏れ）」の存在である．たとえ電子マネー発行体が支払準備を全く保有しないとしても，電子マネーを通じた信用創造プロセスにおいて，資金が電子マネー発行体部門を永遠に循環し続けると考えるのは現実的ではない．むしろ，人々が受け取った電子マネーの一部が現金や預金に変換されることを通じて，電子マネー発行体部門から「漏れ出す」と考える方がはるかに現実的である．

　第3は，貸出需要の有限性についてである．信用創造されるためには，そもそも信用に対する「借り手」が必ず存在しなければならないが，電子マネー発行体にとって「良好な」貸出機会が無尽蔵に存在するわけではもちろんない．つまり，電子マネー発行体部門が直面する貸出需要曲線は，従来の銀行貸出の場合と同様，金利に対し右下がりでかつ有限に存在するはずである[15]．

　第4は，電子マネー発行体の貸出供給に伴うコストと関係する．すなわち，電子マネー発行体が信用を供与する場合でも，通常の銀行貸出の場合と同様，administrativeな審査コストは必ずかかると考えられる．その意味で，電子マネー発行体の貸出供給曲線も，銀行の貸出供給と同じように，右上がりの有限な曲線として描かれると考えるのが妥当である．

　もっとも，以上で述べてきたことは何も電子マネーに限った目新しい議論ではない．かつてユーロ預金[16]をめぐっても，法定の準備預金が課されていない

---

[14] 電子マネーではなく通常の銀行貸出・預金の場合には，（準備預金が先かコールレートが先かという問題はあるにせよ）中央銀行は準備供給というアンカーを通じて，上記のような状況に陥らぬよう引締政策を発動することができる．

[15] この点に関しては，Tobin [1963] が示唆に富む．

[16] ここで用いる「ユーロ」とは，ある国の通貨がその国外で取引されることを意味するものであって，欧州単一通貨を指すものではもちろんない．

点をもって，ユーロ乗数——ユーロ銀行の保有する国内銀行預金をその支払準備とみなして，ユーロ預金残高をその準備で除した乗数のこと——は極端に大きいはずである，とミルトン・フリードマンらは主張したことがある．しかし，前述の電子マネーの議論と同様に，①ユーロ預金の「再預金率」は極めて低いこと（ユーロ預金からの leakage はかなり大きいこと），②ユーロ銀行は決済や預金流出に備えて相当額の国内銀行預金を保有していること，からユーロ乗数は考えられていたほどには大きくないというのが学界におけるコンセンサスのようである[17]．

## 2.3 電子決済技術と貨幣需要関数

前節では電子決済技術の普及が，マクロでみた貨幣供給サイドにどのような影響を与えるかについて考察した．次に，電子決済技術の普及が消費者の貨幣需要サイドにどのような影響を及ぼすかについて考察しよう．

### 電子決済技術の普及と貨幣需要関数

前述のように，貨幣の機能としては通常，①価値尺度，②決済手段，③価値保存手段の3つが挙げられるが，電子決済手段は主に②の機能を担うと考えられる．したがって，電子決済技術が貨幣需要に及ぼす影響を考える場合には，②の決済手段を重視した，「取引動機に基づく貨幣需要モデル」に沿って考察を進めるのが妥当であろう．そうしたモデルの代表である「トービン=ボーモルの在庫理論アプローチ」によれば，銀行に出向いて預金を現金化するコストと現金需要残高は正の関係となることが知られている（トービン=ボーモル・モデルの概要については Appendix 3 を参照）．

このアプローチは，直接電子決済手段に応用できる．例えば，自宅のパソコ

---

[17] ちなみに，様々な実証結果によるとユーロ乗数の大きさはおよそ 1.05〜1.2 とかなり低いことが確認されている．ユーロ乗数について詳しくは，例えば Niehans [1984] の Chapter 9 を参照．

ンからインターネットを通じて自分の預金口座にアクセスし、そこから手元の ICカード内に金銭的価値をダウンロードできるような電子決済手段を利用する場合を考えてみよう．この場合，わざわざ銀行を往復する手間を省くことができるほか，ATMから銀行券を引き出したときのように財布を膨らませて持ち帰る必要もないことからハンドリング・コストやセキュリティ・コストも同時に低下する．このように，電子決済技術の普及は銀行への往復にかかる費用を低下させると考えられるため，「トービン=ボーモルの在庫理論アプローチ」から，その普及に伴い現金需要が減少することは容易に確かめられる．直感的に言えば，従来に比べ銀行への往復費用が低下したことを受けて，より「頻繁に」預金から現金に変換することが可能となるため，利子を稼がない現金を残高として保有するのを節約する効果が働くことになるのである．

ここではトービン=ボーモル・モデルをあくまで「現金（狭義のマネー）」需要のモデルとして解釈してきたが，このモデルはもう少し広い意味にも解釈することが可能である．すなわち，現金と預金の関係を広義のマネー（現金や預金）と収益性資産（債券や株式）の関係に置き換えて，全く同様の議論を行うこともできる．このとき，（電子決済技術そのものではないにせよ）情報技術の進展は，収益性資産から広義マネーに変換するコストを低下させると考えられるから，広義マネーは減少する方向に作用することが同様に確かめられる．いずれにせよ，取引動機に基づく貨幣需要モデルによれば，電子決済技術の普及は貨幣需要残高を節約させる効果を持つことが分かる．

**電子決済技術普及下における金融政策の目標**

これまで，マクロでみた貨幣供給サイド，貨幣需要サイドそれぞれに対して電子決済技術の普及が及ぼすインパクトについて論じてきた．ところで，前述のような，電子決済技術普及過程における信用乗数や貨幣需要関数のシフトは，中央銀行にとってその時点その時点において正確に観察可能なものであるのだろうか．おそらく，電子決済技術の普及過程においては，両者とも中央銀行にとって「予測不可能な」ショックとして発生すると考えるのが妥当であろう[18]．

そうだとすれば，このように貨幣市場が不安定な状況においては，「景気安定化」という意味でどのような金融政策運営が望ましいのであろうか．

こうした問いに対し，マクロ経済学はすでに明快な解答を用意してくれている．いまや古典ともいうべきプール（Poole [1970]）は，IS-LM モデルを用いて次のように議論した（プールの議論については，Appendix 4 を参照されたい）．もし経済変動の主因が実物（IS）ショックであるならば，金利を安定化させるよりも貨幣供給量を安定化した方が実質 GDP の変動幅を小さくすることができる．反対に，貨幣需要に対するショックなどポートフォリオ（LM）ショックが大きい場合には，貨幣供給量よりも金利を安定化していた方が実質GDP の変動を小さくすることができる．したがって，プールの議論に従えば，一般に電子決済技術の普及によって貨幣市場に予期せざるショックが頻繁に生じるような場合には，「金利安定化政策」を採用することが望ましいということになる[19]．

---

**【Box 2】クレジットカードの普及と金融政策**

すでに述べたように，インターネット上での買い物では，クレジットカードの暗証番号を入力するだけで支払いを済ませることができる．したがって，アクセス型技術の発達はクレジットカードの利便性をこれまで以上に向上させる可能性が高い．ここでは，アクセス型商品の普及が金融政策に及ぼす影響の1つとして，伊藤（隆）・川本・谷口 [1999] の概要を紹介することによって，クレジットカードの普及が金融政策にもたらす問題に焦点を絞って考察することにしたい．

他の決済手段と大きく異なるという意味で特筆すべきクレジットカードの特徴は，予め定められた限度額の範囲内であれば，無担保で自由に借り入れることが

---

[18] もっとも，こうした貨幣市場の不安定化傾向は，電子決済技術の出現によって初めて顕在化する問題ではもちろんない．よく知られているように，1980年代以降，金融技術革新や各種の規制緩和の動きを受けて，先進各国の貨幣需要関数が不安定化したことは多くの経済学者やエコノミストによって指摘されてきたことである．
[19] プールの議論とは文脈が異なるが，Woodford [1997] は，技術革新などによって貨幣需要が限りなくゼロに近づいた状況においても，中央銀行は「金利政策」によってインフレ率を首尾よくコントロールできることをモデルで示している．

できるという点である．このことは，消費者の流動性制約を緩和する方向に働くと考えられる．一般に，経済主体が流動性制約下にある状況においては，金融政策はこの流動性を引き締めたり，逆にそれを緩和することによって，経済主体の異時点間の資源配分に影響を与えることができるとされる．しかし，クレジットカードの広範な普及により流動性制約が緩和されると，こうした直接的な量的調整による金融政策の効果（アベイラビリティ・ルートを通じた効果）は弱まる可能性もある．

　上記のようなクレジットカードの流動性緩和効果が実際にどの程度働いているかをみるためには，1980年初めの米国における経験が参考となる．米国は第2次オイルショックの影響もあって1970年代末から続く高率のインフレーションに悩まされていたが，これを克服すべくカーター政権は1980年3月FRB（Federal Reserve Board：連邦準備制度理事会）に対し，信用統制を実施する権限を特別に付与した．これを受けて，ボルカー議長の強力なリーダーシップの下，FRBはクレジットカード貸付に対し15％の特別準備金を賦課するなど強力な消費者信用抑制策を推し進めた．その結果，消費者のクレジットカード借入は急減するとともに，1980年4～6月の個人消費は前期比年率で9.8％減（耐久材に至っては同43.2％減）という四半期としては戦後最大の落込みを記録したのである[20]（下図参照）．その後，1980年7月以降信用規制が段階的に撤廃されるに伴い，個人消費も順調に回復していった．こうした一連のエピソードは，クレジットカードが消費者の流動性制約にいかに大きな影響を与えているかについて如実に物語っていると解釈することも出来よう．

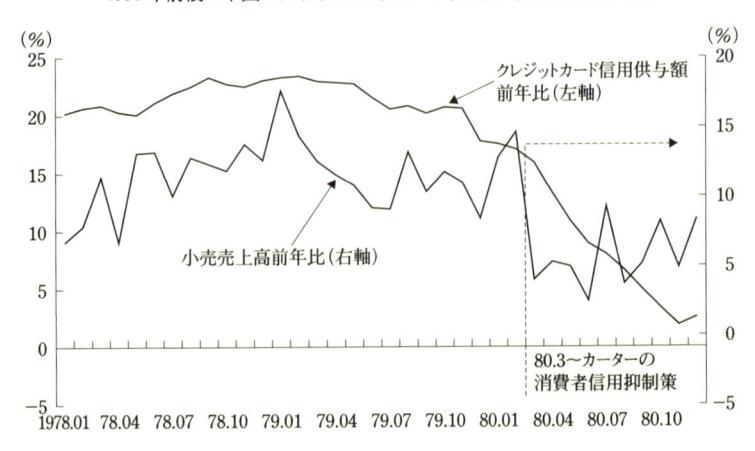

**1980年前後の米国におけるクレジットカード信用供与額と小売売上高**

### スイスの所得流通速度

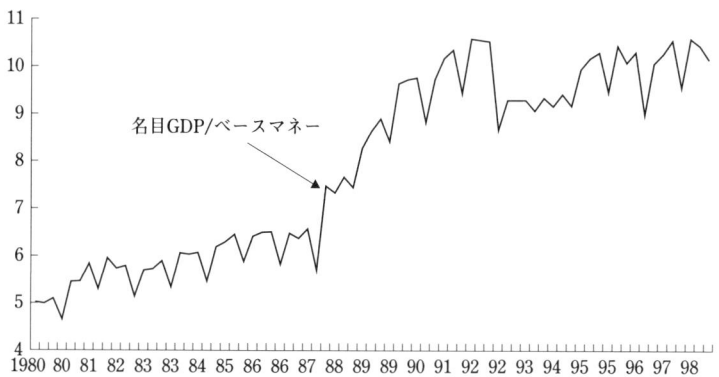

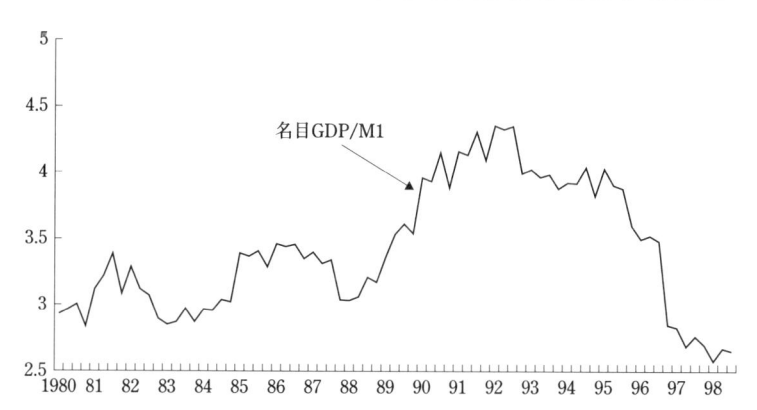

[グラフ: 名目GDP/ベースマネー, 1980–98年]

[グラフ: 名目GDP/M1, 1980–98年]

　もう1つのクレジットカードの重要な特徴として，決済を予め定められた時点に集中化させることができるという点が挙げられる．この性質は，貨幣保有に関する不確実性を低下させるため，「予備的動機」に基づく貨幣需要を減少させる効果を持つ．したがって，中央銀行がこの貨幣需要の減少を accommodate する場合には，貨幣の流通速度は上昇することになる．実際，1988年以降デビットカードとともにクレジットカードが広範に普及したスイスでは，マネタリーベースやM1といった狭義マネーの流通速度が大きく上昇したことが知られている（上図参照）[21]．

---

20) もちろん，こうした消費の落込みには，不況に伴う所得の低下などFRBによる流動性制約の引締め以外の要因も大きく作用していた．

21) なお，スイス中銀は，1999年まで，マネタリーベースを金融政策運営上の中間目標として公式に位置づけていた．

## 2.4 電子決済技術の進展と金融調節・準備預金制度

　マネーサプライとマネタリーベースとの関係を表わす信用乗数の公式は，恒等式であるから常に正しく成立する．しかし，信用乗数はあくまで定義的，会計的な関係を示すものであって，必ずしも因果関係を意味するわけではない．教科書的な銀行行動の理論によれば[22]，マネーサプライの動きを決める最も重要な要因は，銀行をはじめとする民間金融機関による「与信」である[23]．個人の預金口座間で振替がいくら起きようとも，マクロ的には単なる「トランスファー」であって，銀行部門による与信が行われなければ経済全体の預金量が変化しないことは明らかである．貸出を例にとって与信を考えると，銀行は自らの利潤を最大化するように貸出量を決定するわけであるが，銀行の利潤を左右する変数は，貸出金利とコールレートの差（利鞘）である．つまり，銀行の貸出にとってコストであるコールレートが上昇（低下）すれば，貸出量は減少（増大）する．いずれにせよ，こうしたモデルでは貸出量が決定されれば，預金量ひいてはマネーサプライも決定される[24]．それと同時に必要な準備預金の量も決定されるため，現金通貨に対する需要と合わせ，マネタリーベースに対する需要も決定される．それぞれの時点をとれば，金融市場の混乱を回避するために，中央銀行はマネタリーベースの需要を満たすよう準備の供給を行わなければならない．にもかかわらず，中央銀行はマネタリーベースの供給の「仕方」を通じて，民間銀行が互いに準備を融通し合うコール市場でコールレートの水準を決定することができる．通常，コールレートは民間金融機関の与信行動に大きな影響を与えるから，中央銀行は最終的にマネーサプライにも影響を与えることができるというのがこの種のモデルの帰結である．

　現実の金融政策の操作変数も，（平時においては）わが国のみならずほとん

---

[22] 標準的な銀行行動の理論については，例えば岩田・堀内［1983］の第8章を参照のこと．また，岩村［1991］も併せて参照されたい．
[23] ここで言う「与信」には通常の貸出に加え，銀行による債券（国債・株式）の購入も含めて考えている．
[24] マネーサプライを変化させる貸出以外の要因については，いずれもややテクニカルとなるのでここでは捨象して考えている．

どの国で短期金利（オーバーナイト物のマネー・マーケット金利）である．したがって，ここでは電子決済技術の普及が中央銀行の短期金利誘導能力にどのような影響を及ぼすかについて考察するとともに，準備預金制度の枠組み変更も含めた政策的対応のあり方についても併せて考える．それにはまず，①金融機関の準備需要，②中央銀行の準備供給力，それぞれに対して電子決済技術がどのようなインパクトを与えるのかを明らかにすることが重要である．

**準備需要面への影響**

　電子的な決済手段が専ら現金を代替するのであれば，金融調節面への影響は比較的軽微であろう．現実にも現金は需要に応じて供給されており，金融調節は専ら準備の部分を使って行われているからである．一方，預金代替的な電子決済技術の普及は，準備預金制度対象の既存預金から対象外の電子決済手段へのシフトを促進することによって，準備需要を減少させる可能性が高い．

　しかしながら，中央銀行が短期金利コントロールを行ううえで重要なのは，準備需要の額そのものというよりは，むしろ準備需要が安定的でかつその動きが予測可能なものであるかどうかということである．実際，法定準備がゼロの場合でも，中央銀行当座預金に最終決済のための安定的な残高需要が存在していれば，短期金利コントロールが十分可能であることは，カナダなど他国中央銀行の金融調節の例をみれば明らかである．したがって，今後預金代替的な電子決済技術が普及した後も，電子マネー発行体を含めた民間金融機関の最終決済が中央銀行当座預金を通して安定的に行われるかどうかが決定的に重要であると考えられる．この点に関しては，電子決済技術の普及が中央銀行を中心とした既存の決済システムにどのような影響を与えるかということも含め，より幅広い観点からの検討が必要である．

**準備供給面への影響**

　準備供給面への影響に関しては，電子決済技術の普及が中央銀行のバランスシートに対してどのような影響を及ぼすかに大きく依存する．現金は中央銀行

にとって最大の負債項目であるため、電子決済手段が極めて広範に現金を代替すると、中央銀行のバランスシートは大きく縮小する可能性が高い[25]. 問題は、こうしたバランスシートの縮小がどの程度まで進んだ場合に、中央銀行の準備供給力の制約要因となり得るのかという点にある. 例えば、比較的規模の小さい通常日の公開市場操作であれば、中央銀行のバランスシート縮小がある程度まで進んだ場合でも支障は少ないと言えるかもしれない. しかし、何らかの理由で、中央銀行が大規模に準備を吸収するためのオペレーション、例えば、外為市場における外貨買い介入の不胎化（中立化）を目的とするオペレーションなどを行う必要が生じた場合には、中央銀行に売却可能な資産が十分に存在しないために所期の目的を達成出来ない惧れもある（BIS [1996]）[26].

**政策的対応**

電子決済技術の普及がもたらす金融調節上の諸問題に対しては、以下のような政策的対応が可能であろう（なお、最近の先進各国における準備預金制度の見直しとその意義に関しては、Appendix 5 を参照されたい）.

まず第1に、電子的な決済手段を含めすべての決済性金融商品に準備預金を賦課したうえで、その準備率をすべて同一にするという対応策が考えられる. 現実問題としては、決済性金融商品を実務的に特定化することは容易ではないと考えられるが、そうした対応策を講ずることが出来れば、民間金融機関の準備需要を安定的に維持することが可能になると予想される. 加えて、準備率を同一にすることによって、準備預金制度の存在自体がもたらす資源配分上の歪み（distortion）を極力軽減できるほか、決済分野に参入している金融機関間の公平性も同時に確保することができる. なお、準備預金負担を回避しようとするインセンティブを民間金融機関サイドから予め排除するためには、準備預金に付利することも検討課題の1つとなろう（準備預金への付利をめぐる議論

---

[25] 電子決済技術普及による中央銀行のバランスシート縮小が、シニョレッジに及ぼす影響については本章 2.5 節を参照.
[26] もっとも、こうした問題に対しては、現在日本銀行が行っている「売出手形オペ」のような対応策も有効かもしれない.

については，Appendix 6 を参照されたい）．

　第2の対応策として，すべての金融商品の法定準備率をゼロにする（ゼロ・リザーブレジームに移行する）という選択肢も考えられる．すなわち，電子決済技術普及後も，中央銀行当座預金に安定的な決済需要が存在し続けるのであれば[27]，準備率をゼロにまで引き下げたとしても金融調節の有効性は維持できるはずである．また，準備率をゼロにすることによって，法定準備が存在することによる様々なデメリットを極力軽減することも可能となる．

　第3の対応策は，中央銀行自らが電子マネーを発行するというものである．こうした見方に対しては，金融機関同士の競争を制約し，ひいては決済技術分野における民間のイノベーションの誘因を削いでしまうという理由から反対論も根強い[28]．また，仮に中央銀行が電子マネー事業に参入したときに，民間電子マネーの普及度合いにどの程度影響を与えることができるのかという点でも不確実性が高い．実際に中央銀行が発行した電子マネーがかなりのウエイトを持って流通するかどうかは，現在の日本銀行券の一般受容性の高さが，ただリーガルテンダー（legal tender：国が法律によって受取を強制している法定通貨）であることだけに支えられているのか，それとも日本銀行券の形や雰囲気を多くの人達が認識できるといういわば「感性」の部分に支えられているのか，あるいはATMの普及によって支えられているのかによって，大きく異なる．つまり，ATMの普及に支えられている程度であれば，これは純粋にテクノロジーの問題と言えるものの，「感性」のようなものに支えられているとすれば問題はより複雑となる．いずれにせよ中央銀行の電子マネー発行に関しては，技術的なフィージビリティもさることながら，そのメリット，デメリットを慎重に判断していく必要がある．

---

[27] このためには，電子決済手段の発行体間における最終決済が中央銀行当座預金を通して行われるよう，何らかの「法的強制」も必要となるかもしれない．
[28] 例えば，前述の BIS レポート（BIS [1996]）を参照．

## 2.5 電子決済技術の普及が中央銀行シニョレッジに及ぼす影響

**電子決済技術の普及とシニョレッジ**

中央銀行の「シニョレッジ（seignorage：貨幣発行益）」をめぐっては，使い方によってその意味するところも異なり議論が混乱することもしばしばであることから，まず「シニョレッジ」の概念を明確に定義することから始めることにしよう．

経済学の教科書では，通常「シニョレッジ」と言えばいわゆる「インフレ税」のことを指すことが多い．インフレ税は，追加的なマネー発行で賄うことのできる単位時間当たりの実質支出額として定義される．すなわち，単位時間当たりの名目ハイパワードマネー増加額 $\Delta H$ をそのときの物価水準 $P$ で割ったものに等しい（$\equiv \Delta H/P$）．これは，名目ハイパワードマネー増加率（$\Delta H/H$）× 実質ハイパワードマネー残高（$H/P$）と書き換えることもできる．ここでは，これを便宜上「狭義のシニョレッジ」と呼ぶことにする．定義により「狭義のシニョレッジ」は，自ら負債を増加させることによってインフレを起こすことのできる主体，つまり政府・中央銀行にしか発生しないことになる[29]．

他方，現実の中央銀行バランスシートを考えた場合，負債サイドでは金利ゼロの銀行券を発行する一方，資産サイドでは通常，国債などの有利子資産を保有することが多いことから，その金利差により「利鞘」が発生している．実際，こうした利鞘は中央銀行の大きな収入源であるため，一般にはこうした利鞘も含めて「（広義の）シニョレッジ」と呼ぶことも多い．しかし，この種の資産と負債の金利差から生ずる利益は，何も中央銀行に限ったものではなく，一般の民間銀行にも発生し得るものであることに注意する必要がある．電子決済技術の普及が中央銀行シニョレッジに及ぼす影響を理解するうえでは，以上で述べた「狭義のシニョレッジ」と「利鞘」を明確に峻別することが極めて重要で

---

[29] 厳密には，「狭義のシニョレッジ」が「インフレ税」と言われる理由は，ハイパワードマネー $H$ の増加率（$\Delta H/H$）が長期的にはインフレ率（$\Delta P/P$）に等しくなるからであって，インフレを起こして初めてインフレ税が発生するわけではない．この点に関して詳しくは，例えば Blanchard and Fisher [1989] の pp.195〜201 を参照されたい．

ある．

　さて，ストアドバリュー型商品をはじめとする電子的な決済手段が現金を代替すると，中央銀行のバランスシートが縮小するため，これに伴い中央銀行の獲得できる「利鞘」は減少する．中央銀行が（広義の）シニョレッジで経費を賄えなくなり，仮に財政的に政府に依存しなければならなくなった場合，独立な金融政策運営の財政的基盤が阻害される可能性がある．しかし，前述のBISレポート（BIS［1996］）にも述べられているように，こうした利鞘収入は通常，中央銀行の経常費用に比してかなり大きい．同レポートの試算によれば，例えば，1994年では，日本銀行の利鞘収入は対GDP比0.42%であったのに対し，日本銀行の経常費用は同0.06%であった．したがって，損益分岐点到達までに必要となる利鞘収入の低下割合（利鞘収入と経常費用が等しくなるまで低下すべき現金残高の割合）は85%とかなり大きいことが分かる．また，米国についても，1994年の利鞘収入は対GDP比0.42%，経常費用は同0.03%であり，損益分岐点到達に必要な利鞘収入の低下割合は93%と非常に大きい．したがって，利鞘収入の減少による中央銀行の財政的基盤の悪化，というシナリオが現実のものとなる可能性は低いと言えよう．

　このとき，確かに「利鞘」収入は中央銀行から電子マネー発行体にトランスファーされるが，決して電子マネー発行体に「狭義のシニョレッジ」が発生するわけではないということに注意する必要がある．本章2.1節で述べたように，たとえ現金と代替性の高い電子マネーであったとしても，不換紙幣でない（それ自体が支払準備とならない）以上，それは「預金」と考えることができる．つまり，電子マネー発行体は自由に自らの負債を増加させることによって，経済全体でインフレーションを発生させることができるわけではない．したがって，通常の民間銀行に「狭義のシニョレッジ」が発生していないのと同様に，電子マネー発行体も「狭義のシニョレッジ」を獲得することはできない．銀行も電子マネー発行体も，その資産と負債の金利差からくる利鞘をそのバランスシートの大きさに応じて稼ぐだけである．

**電子マネーは不換紙幣となり得るか？**

　それでは，電子マネーが不換紙幣として流通する可能性はあるのだろうか．一般に，電子マネー発行体はプライベートな経済主体であり，利潤最大化を目指して行動すると考えられる．このとき注意しなければならないのは，電子マネー発行体が利潤最大化を目的とする以上，常に「動学的非整合性（Dynamic Inconsistency）」を引き起こすインセンティブを有するということである．ここで，「動学的非整合性」とは，経済主体 A，B が互いに関心のあるそれぞれの行動について交渉や約束をする状況において，A が a という行動をとることを約束し，それに対応して B は b という行動をとることを選択した後に，A に a 以外の行動をとるインセンティブが発生することを言う．

　電子マネーの発行に即して言えば，プライベートな電子マネー発行体が，予め自らの電子マネー発行額をアナウンスすることによって公衆の信認を得ようとしたとしても，発行体には，その後アナウンスの内容を破り，発行額を増加させることによって利潤を得ようとするインセンティブが常に存在するため，「動学的非整合性」が生じ得る．このとき，電子マネー発行体は，「拘束力のある約束」をすることができないという意味で「コミットメント」が不可能な経済主体であると言える．このように考えると，プライベートな経済主体が発行する電子マネーが不換紙幣（金や銀との交換が約束されていない紙幣）として信認され，「狭義のシニョレッジ」が発行体に発生するほどにまで電子マネーが幅広く流通する可能性は極めて低いということになる．

　以上のような理論的な検討からは，政府や中央銀行以外の経済主体が自らの発行する貨幣を「不換紙幣」として流通させることは一般的に難しいということになる[30]が，こうした見方は必ずしも正しくない．すなわち，「ある種の工夫」を行うことによって民間主体が「コミットメント」に成功し，不換紙幣を流通させた事例は歴史的に存在しないわけではない．例えば，有名なヤップ島の貨幣やわが国の山田羽書は，政府ではなく「民間」が自発的に貨幣を創り出

---

[30] 実際，近代的な中央銀行制度が成立してからは，平時に限れば，民間主体が発行する不換紙幣が広範に使われた事例は存在しないのも事実である．

した好例である．太平洋に浮かぶ小島であるヤップ島では，商品貨幣と不換紙幣の中間形態とも呼べる貨幣がかつて流通していた．ヤップ島における伝統的な交換手段は「フェイ」と呼ばれる，巨大な石の輪である．それらの石の中央には穴があいていて，棒に差し込んで運搬することが可能であり，交換手段として使用されていた．しかし，巨大な石貨の運搬には多大なコストがかかったため，次第にその石貨に対する請求権が貨幣として流通するようになった．しかも，嵐で石貨が海に沈み，誰もそれを発見できなくなった後においても，その請求権は交換において有効とみなされていたことが知られている．一方，山田羽書は，伊勢山田地方（現在の三重県伊勢市）で流通したわが国最古の紙幣として知られている．山田羽書は秤量銀貨の小額端数の預り証（手形）として釣り銭の代わりに発行された私札であり，「羽書」とは「端数の書き付け」に由来する名前である．発行者は伊勢外宮の神職に就く豪商であり，その自治組織による発行制度がよく整備されていたことから，信用も高く山田地方においてかなりの程度流通していたことが知られている．こうした歴史的な事例のうち，長期間にわたって価値の安定度が高かった山田羽書は，藩などの地方権力すら背景としていない点で注目に値する．

　一般に，ある物が貨幣として幅広く利用されるための条件は，①十分な耐久性を持っていること，②品質が同質であること，③分割可能性が高いこと，であると言われる．こうした性質を有する貨幣として，歴史的には金地金から金貨，金貨から紙幣へという系譜を辿ってきた．貨幣は今後「紙」から「電子」に本格的に移行するのかどうか，電子マネーは「不換紙幣」として流通する可能性があるのかどうかについては，今のところ明確なコンセンサスが得られているわけではなく，今後さらに検討すべき問題である．

## 【Box 3】国債投資信託を利用した決済システムと電子決済技術の可能性

「決済」とは財・サービス・資産などの取引によって生じた債権・債務関係を，資産の移転によって清算する行為である．しかし，何も現金や預金を用いなければ決済を行うことが出来ないというわけではない．一般受容性を持つ資産（の所有権）の移転さえ可能であれば，現・預金以外の形で決済を行うことは理論的には十分可能であるはずである．こうした代表例としては，国債が有力な候補として考えられるであろう．以下では，現・預金以外で決済を行う１つの例として「国債投資信託」を用いた決済システムについて検討する[31]（伊藤（元）・川本・谷口［1999］）．

投資信託であるから，金融機関の機能は，顧客に代わって国債を購入して預り，顧客に対してその所有権を記した通帳を手渡すことにある．例えば，消費者ＡもＢ商店も，この国債ファンドの口座を持っている状況を考えてみよう．すると，ＡがＢから商品を購入したとき，Ａの投資信託口座からＢの投資信託口座への振込みで決済は完了する．すなわち，消費者Ａの国債ファンドの残高を商品代金相当分だけ減少させ，商店Ｂの残高をその分だけ増加させてやればよい．このように国債投資信託は，理論的には銀行預金によって提供されている決済サービスとほぼ同等の機能を果たすことができる[32]．

もっとも，国債投資信託を用いた決済システムと銀行預金を中心としたシステムとでは相違点も少なくない．金融政策にとって両者の最も重要な違いは，ハイパワードマネーに対する需要が最終的に存在するか否かという点にある．よく知られているように，銀行預金を用いた決済の場合には，全銀システム等を通じて最終的には個々の銀行の中央銀行当座預金間における振替によってすべての決済が完了する．このとき，決済のためのハイパワードマネーに対する需要が必ず発生するため，中央銀行は（ハイパワードマネーの量をコントロールするにせよ，短期金利をコントロールするにせよ）準備供給を梃子にマネーサプライをコントロールすることができる．一方，国債投資信託を利用した決済システムの場合には，当事者間あるいはファンド間において，国債（の所有権）を移転することに

---

[31] ここで検討する国債投資信託を用いた決済システムは，あくまで理念的なものであって，現実にビジネスとして成立し得るか否かは別個の問題である．

[32] もっとも，現在提供されているMMFや証券総合口座の「投資信託の決済機能」とは，あくまで「現預金への転換の容易さ」を意味するものであって，ここで述べたような国債（の所有権）を保有者間で移転するようなシステムを実現したものでは決してない．

よって信用リスクを伴うことなく決済は完了する．このとき，ハイパワードマネーに全く依存することなく決済が完了してしまうことを意味するため，準備供給を梃子とした金融政策の有効性は失われる可能性が高い[33]．

ちなみに Wallace [1983] は，中央銀行券と国債は共に「政府部門の負債」であって，両者の信用リスクは等しいはずなのに，有利子の国債は貨幣として利用されず，無利子の中央銀行券のみが貨幣として利用されている現状は，一種のパラドックスであると述べている．彼によると，こうしたパラドックスが生じているのは，①国債の転々流通や私的銀行券の発行を禁止するといった「法的な制限（legal restriction）」の存在と，②国債の発行価格単位が大き過ぎる（したがって国債では僅かな額の決済を行うことが出来ない）ことが，国債あるいは国債投資信託の決済手段としての利用を妨げているためだという．

もっとも，仮に決済に関する法的規制がすべて撤廃され，かつ小額の国債の譲渡・振替を可能とするような電子決済技術が進展した場合に，上記で述べたような国債投資信託を用いた決済システムが現実に出現するかどうかについては明確なコンセンサスが得られているわけではない[34]．

---

33) 仮に，すべての決済がこうした国債投資信託の振替によって行われるとすれば，マネーサプライは国債の発行（流通）量によって決定され，もはや中央銀行のコントロールは及はないものとなる．この場合，長期的な物価水準を決定するのは金融政策ではなく財政政策ということになる．
34) 歴史的には，第1次世界大戦中に発行された，デノミネーションの比較的小さい額面50＄の国債（Liberty Bond と呼ばれる）が，現実に貨幣として流通したとの記録もある（Wallace [1983] 参照）．こうした Wallace の見方に反対するものとしては，例えば Makinen and Woodward [1986] を参照．

# 第Ⅰ部：まとめと課題

　第Ⅰ部では，主として理論的観点から，電子決済技術の進展が金融政策運営にもたらす課題について検討を進めてきた．第Ⅰ部の一応の結論を一言でまとめるとすれば，「電子決済技術は，当面に限れば，従来の金融技術革新と比べてさほど異質な問題を金融政策運営に提起するわけではないものの，中長期的には現在の金融経済構造を大きく変化させる可能性を有している」というものである．すなわち，やや中長期的な視点に立てば，電子決済技術などの情報技術革新は，単に取引コストを引き下げたり決済手段を高度化させたりするにとどまらず，金融業の産業組織や決済システム，さらには物価概念といった実体経済変数にも大きな影響を及ぼす潜在的可能性を有していると言える．そこで，第Ⅱ部では，分析の対象を電子決済技術を含む情報技術革新へと拡張し，その金融経済構造へのインパクトや金融政策に与える影響を検討する．

　以下では，第Ⅱ部における検討課題を提示して，第Ⅰ部の結びとしたい．

　まず第1に，電子決済技術をはじめとする情報技術革新の進展によって，最終目標までも含めた金融政策のトランスミッション全体にどのような変化が生じるのかという点について，より幅広い観点から考察する必要がある．例えば，第Ⅰ部では電子決済技術の普及がマネーサプライに及ぼす影響について理論的な検討に論点を絞ったが，現実の政策運営と関係づけて考えていくうえでは，「統計作成者」の観点も織り込んだ包括的な整理が必要である．すなわち，電子決済技術普及後におけるマネーサプライ統計が，統計としての信頼性や情報変数としての有効性を維持するためには，どのような統計の見直しが今後必要となるのかについてさらに検討を深める必要があろう．技術革新は何もマネーサプライにだけ影響を及ぼすわけではもちろんない．すでに述べたように，電

子マネーをはじめとする決済技術革新は広範な技術革新の一部に過ぎず，最終目標である物価もまた技術革新の影響を大きく受けることにも留意すべきであろう．いずれにせよ，こうしたマネーサプライ統計や物価概念の再構築にとどまらず，これに関連する統計整備，金融市場情報活用のための環境整備などについて，より包括的な検討を進めることが必要である．

第2に，情報技術革新の発展によって銀行業の産業組織や決済システムが「構造的」にどのように変化し，ひいては金融政策運営がどのような影響を受けるかについて検討を深めることも重要な課題である．中央銀行の金融政策（その有効性や波及経路）は，現行の銀行業の産業組織や決済システムのあり方に大きく依存している．したがって，技術革新の進展によって既存の銀行業の産業組織や決済システムが大きく変化するのであれば，中央銀行の金融政策運営も少なからず本質的な影響を受ける可能性が高い．例えば，技術革新の進展によって，銀行の提供するサービスと非常に代替性の高いサービスが数多くの主体によって提供されるようになると予想されるが，そうした状況でこれまでの伝統的な銀行業の役割がどのように変化するかは，今後の金融政策運営を展望する上で興味深い論点の1つである．

第3に，電子決済技術を始めとする情報技術革新は，通貨圏と通貨圏を隔てる「国境」という概念を希薄化する可能性を有している．すなわち，情報の伝達・記憶媒体が「紙」から「電子」に移行するのに伴い，金融経済活動における物理的な国境の存在も徐々に意味を失っていく可能性がある．現代の中央銀行制度が国民国家というローカルな枠組みの上に成立していることに鑑みれば，技術革新と経済のボーダーレス化の問題についても検討していく必要があろう．

# Appendix 1　電子マネーが金融システムの安定性に与える影響

　電子決済手段の普及は，金融システムの安定性にどのような影響を与えるだろうか．また，金融システムの安定性を維持するためには，どのような対応策が必要となるだろうか．伊藤（元）・川本・谷口［1999］は，こうした問題について，MMFの普及と金融システムの安定性に関する各国での経験や議論を参考にしつつ，①電子マネー発行体の資産運用制限，②電子マネーへのセーフティネットの供与，③電子マネーの取付けに対する安全性，について，論点の整理を行っている．以下では，伊藤（元）・川本・谷口［1999］の概要を紹介する．

**電子マネー発行体の資産運用制限**

　1998年6月に公表された「電子マネー及び電子決済の環境整備に向けた懇談会」報告書は，電子マネーの発行を金融機関のみに限らず幅広い主体に開放して電子マネー製品間での競争を促すことを前提に，「決済インフラとしての性格を持つ電子マネーの発行見合資金については，発行体の破綻からのリスク遮断に加え，通常時においても，利用者の請求に応じて払い戻されなければならない流動性の高い債務であることから，その管理・運用に当たっては，信用リスクが小さいこと，価格変動リスクが小さいことに加え，十分な流動性を有していることという要件を満たしていることが必要である」と指摘している．電子マネーのようなテクノロジーが非常に重要な役割を果たす金融商品に関しては，必ずしも金融機関に比較優位がないため，金融機関以外の企業にも幅広く参入を認めることが望ましいと考えられる．そして，広範な企業の参入を認めるのであれば，その資産を，信用リスクおよび価格変動リスクが小さく十分

流動的なものに制限することは、自然な考え方だと言えよう。

米国では、電子マネーと同様に決済機能を有する流動性の高い債務である MMF に対し、主要な運用資産である CP のデフォルトの経験[35]を踏まえて、資産運用制限を行うことによりその安全性を確保するようになってきている。電子マネーは MMF よりも決済手段としての性格が強く、利用者による払い戻し請求の頻度がより高くなることが予想される。したがって、利用者の資産の安全性を確保するためには、銀行業のように参入障壁を設けることができない以上、ある程度の資産運用制限を行うことはやむを得ないのではないかと考えられる。

ただし、電子マネー発行主体に対して資産運用制限をあまりに強化すると、過剰規制となる可能性がある点には、留意が必要である。例えば、カンザス連邦準備銀行のエコノミストである Schreft [1997] は、電子マネーの信頼性を高めるという観点からは、電子マネーに政府貨幣での払い戻しを義務づけ、その全資産を安全で流動的な資産に投資させることは、非常に安全な方法であると認めている。しかし、そのような電子マネーの発行体は収益性が低くなる可能性があることや、政府が発行する貨幣には裏付けがないこと等を挙げて、裏付け資産の制限をあまり強化する（例えば政府短期証券のみへの運用制限）のは過剰規制の可能性がある、と指摘している。

**電子マネーへのセーフティネットの供与**

電子マネーに対してセーフティネット、特に預金保険を課すべきであろうか。この問題は、電子マネーを、預金保険対象外の決済性金融商品である MMF に類似の金融商品と考えるか、預金保険対象の決済金融商品である銀行預金に類似の金融商品と考えるかということに大きく関係している。

上記の「電子マネー及び電子決済の環境整備に向けた懇談会」報告書は、「預金保険制度類似の包括的な保険制度の創設については、保険料を支払う主

---

[35] 1989 年と 1990 年に、各々インテグレイティッド社とモーゲージ社がデフォルトし、MMF の取付けに繋がりかねない状況が発生した。

体の業務面，財務面での同質性・均一性がある程度確保されていることを前提として成り立つ仕組みであり，電子マネーが技術・事業両面で多様な形態を採ることに馴染まず，例えば，セキュリティ確保の面においてモラルハザードの弊害が著しいものとなりかねない．したがって，こうした制度の創設は適当ではない」としている．

また，前述の Schreft［1997］は，(a)発行体のモラルハザードが懸念されること，(b)安全な決済手段としてはすでに政府発行貨幣が存在していること，を挙げ，電子マネーを預金保険の対象とすることに対して疑問を呈している．

一方，電子マネーが金融政策や決済システムに与える影響と電子マネーが満たすべき条件についてまとめた報告書である ECB（European Central Bank：欧州中央銀行）［1998］では，電子マネーに預金保険や類似の保証を課すべきかどうかは将来的な課題としながら，6ヵ国（オーストリア，デンマーク，スペイン，フランス，イタリア[36]，スウェーデン）で運営中の電子マネーは政府による預金保険または保証の対象となっていると紹介している．これは，そもそも欧州ではほとんどの国が電子マネーの発行を銀行に限定していることを背景としている．

このように，電子マネーに預金保険を課すことに対して，概ね，日米では懐疑的であるのに対して，欧州では，日米より積極的なスタンスを採っているようである．これは，日米では，銀行以外の企業にも電子マネーの発行を認める代わりに，電子マネー発行主体に運用資産制限を行うというスタンスであり，同じような運用資産の性質を有する MMF と同様に預金保険の対象外と考えている，と捉えることができよう．一方欧州では，電子マネーの発行を概ね銀行に限定しており，電子マネーは運用資産の点でも銀行預金と同じ位置付けになるため，銀行預金と同様に預金保険によって保護することを考えている，と捉えることが可能であろう．

---

[36] イタリアでは，個人銀行口座と結びついていない電子マネーは預金保険の対象外としている．

**電子マネーの取付けに対する安全性**

　上記懇談会報告書に基づき，電子マネー発行に様々な企業の参入を認める一方で，運用資産を安全で流動的なものに制限するという方向で，電子マネーが法制化されることになれば，電子マネーは本質的には銀行預金よりも取付けに対して強固になると考えられよう．しかし，電子マネーの普及がトータルな意味で金融システムの安定性に及ぼす影響は，電子マネーにセーフティネットが課せられるかどうかという点や，現在の銀行のように決済機能を資産変換機能とともに行うシステムがよいのか，あるいは，MMFのように決済機能に特化したシステムがよいのかという点にも依存するものと考えられる．

　なお，電子マネーによる金融システムの安全性を考える際には，あまり電子的であるということにとらわれすぎずに，その決済手段が日常的な決済に使用されるのかどうか，払い戻しの頻度はどうかというように，決済手段としての使用形態や運用資産の性質等を重要視して判断すべきではないかと考えられる．このように考えると，金融システムの安全性を考えるにあたっては，電子マネーだけを取り出して特別に扱うのではなく，MMFをはじめとする類似の金融商品も同様の枠組みの中で統一的な対応を検討することも必要かもしれない．

# Appendix 2　電子決済技術の普及と信用乗数論

　ここでは，電子決済技術の普及が信用乗数に与える影響を分析する．慣例に従い，中央銀行の供給するハイパワードマネー，銀行の準備，マネーサプライの間の関係を記号を用いて整理することから始める．

　マネーサプライ $M$ は，現金残高 $C$ と預金残高 $D$ の合計であるから，

$$M = C+D \tag{1}$$

　ハイパワードマネー $H$ は，準備残高 $R$ と現金残高 $C$ の合計，

$$H = R+C \tag{2}$$

である．したがって，信用乗数（$M/H$）は，

$$\frac{M}{H} = \frac{C+D}{R+C} = \frac{\frac{C}{D}+1}{\frac{R}{D}+\frac{C}{D}} \tag{3}$$

となる．ここで，$\frac{C}{D}$ は現金・預金比率，$\frac{R}{D}$ は準備率である．

　次に電子マネーが登場すると，電子マネー残高を $E$ としたとき，マネーサプライの定義は，

$$M = C'+E+D' \tag{4}$$

と変更される．ただし，$C'$，$D'$ はそれぞれ電子マネー登場後の現金残高，預金残高を示す．このとき信用乗数は，

$$\frac{M}{H} = \frac{C'+E+D'}{R'+C'} = \frac{\frac{C'}{D'}+\frac{E}{D'}+1}{\frac{R'}{D'}+\frac{C'}{D'}} \tag{5}$$

となる．

　ここで(3)，(5)式を比較すると，準備率 $R'/D'$ は電子マネー登場以前の準備

率 $R/D$ と等しいと考えられるが，電子マネーが現金を代替する場合には，現金・預金比率 $C'/D'$ はそれ以前の $C/D$ と比べ低下すると考えられる．このとき $(C'+E)/D'$ の値は，従来の $C/D$ の値とほぼ等しいと考えられる．したがって，信用乗数は大きくなることが確認できる．

　一方，電子マネーが預金を代替する場合，電子マネー発行体は通常の銀行と比べて支払準備保有を節約する（ことができる）ため，経済全体で $R'$ は減少する可能性が高い．また，$C'$ に変化はなく（$C=C'$），$E+D'$ は従来の $D$ とほぼ等しい．したがって，この場合にも信用乗数が大きくなることは容易に確かめられる．

　なお，以上の議論は，電子マネーがあくまで「残高」として保有され（すなわち電子マネーがある程度「価値保存手段」として用いられ），かつ電子マネー発行体が与信を行うことを前提としている．もし電子マネーが専ら「支払手段」としてのみ利用され，ストックとしての電子マネー保有残高が僅かなものにとどまるのであれば，ここで示された信用乗数の変化自体も当然のことながら僅かなものにとどまる．

# Appendix 3 電子決済技術の普及とトービン＝ボーモルの在庫理論アプローチ

 ある個人は，一定期間に $Y$ 円の給料を固定利子率 $i$ の預金の形で受け取るものとする．そして個人は，取引の必要上 $Y$ 円のうち $C$ 円だけを現金として保有するが，預金から現金に変換するためには銀行を往復する費用が $F$ 円だけかかるものと仮定しよう．銀行往復回数 $n$ は $Y/C$ に等しく，平均現金残高が $C/2$ であることを考慮すると，この個人の利潤 $R$ は以下の式で表わすことができる．

$$R = [(Y-C)/2]i - F(Y/C) \tag{1}$$

第1項は預金保有による利子収入，第2項は銀行往復費用である．(1)式を $C$ について微分したものは，利潤最大化の1階条件からゼロに等しい．すなわち，

$$\frac{dR}{dC} = -\frac{i}{2} + \frac{FY}{C^2} = 0$$

となる．これを $C$ について解くと，最適な現金需要残高 $C$ は，

$$C = \sqrt{\frac{2FY}{i}} \tag{2}$$

となる．上式から，銀行往復費用 $F$ が高ければ高いほど，所得 $Y$ が多ければ多いほど，さらに利子率 $i$ が低ければ低いほど，現金需要残高 $C$ は増加することがわかる．

 電子決済技術の出現は，銀行往復費用 $F$ を低下させるため，(2)式の現金需要残高 $C$ を減少させることが容易に確かめられる．

# Appendix 4　金利かマネーか：プールの議論

　本文でも言及したプールは，「経済が様々な確率的ショック（貨幣需要ショック，財需要ショック等）に服するとき，実質 GDP を安定化するために，中央銀行は①名目金利を一定に保つべきか，②マネーサプライを一定に保つべきか」という問題を，以下のように極めて明快に整理した．

①マネタリーなショックが主たる攪乱である場合（LM 曲線が不安定，IS 曲線が安定的），名目金利を一定に保つ政策が望ましい（図 A4-1）．
　　——マネーサプライを一定に保つ場合，実質 GDP は $Y_1$ から $Y_2$ の間を動くのに対し，金利を $i^*$ で一定に保つ場合には，実質 GDP は $Y^*$ の水準で安定する．

図 A4-1　マネタリーなショックが主たる攪乱である場合

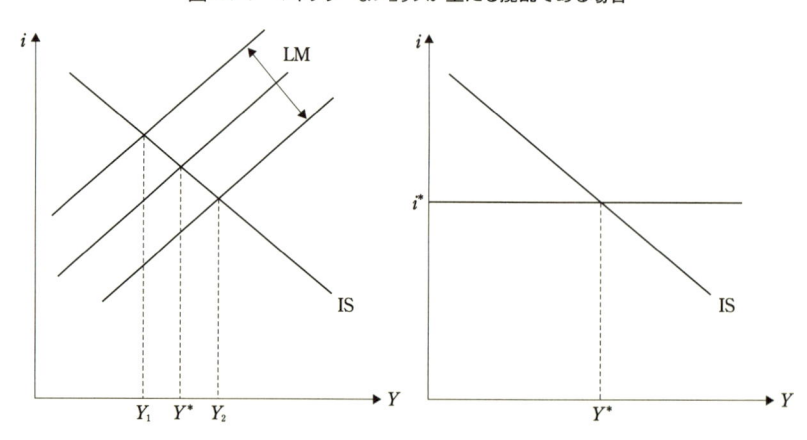

図 A4-2　リアルなショックが主たる攪乱である場合

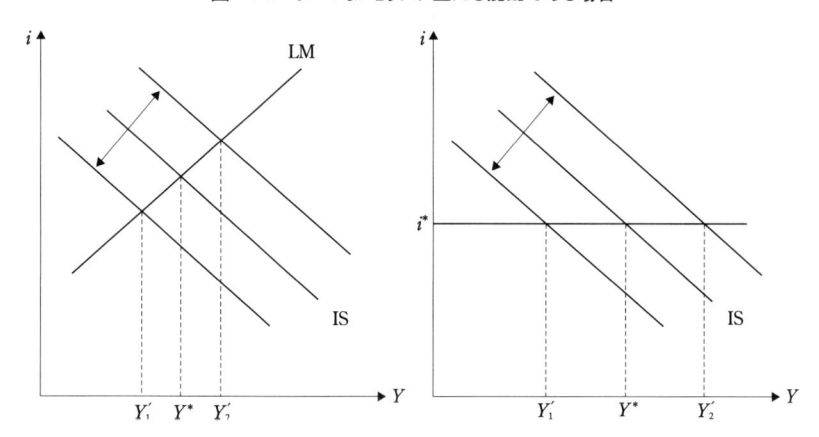

② リアルなショックが主たる攪乱である場合（IS 曲線が不安定，LM 曲線が安定的），マネーサプライを一定に保つ政策が望ましい（図 A4-2）．
　—— 金利を $i^*$ で一定に保つ場合，実質 GDP は $Y_1'$ から $Y_2'$ の間で大きく変化するのに対し，マネーサプライを一定に保つ場合，実質 GDP の変化幅 $[Y_1' \sim Y_2']$ は縮小する．

# Appendix 5 準備預金制度の見直しとその現代的意義

　第2章2.4節では電子決済技術の普及によって，準備需要が変化するため，その安定化の観点から，いくつかの政策対応のあり方を提案した．こうした準備需要の不安定化は，電子決済技術の進展によってのみ引き起こされるものではなく，これまでも，先進国を中心に様々な要因によって準備需要が不安定化した場合には，その都度，対応策がとられてきた．ここでは，これまでの準備預金制度の変遷について簡単な紹介を行う．

　準備預金制度の最初の法制化は，19世紀の米国にまで遡ることができるが，当初の制定目的は文字どおり「預金者保護のための流動性確保」にあった．米国で同制度が，準備率操作により対象金融機関の信用創造能力をコントロールするという金融調節手段として位置づけられるようになったのは，1933年になってからのことである．米国で発展した同制度がイタリア，西ドイツ，日本に導入されたのは，第2次世界大戦後になってからのことであり，金融調節手段としての準備預金制度の歴史は比較的新しいと言うことができる．

　近年，同制度については，準備率操作によって量的コントロールを行うための道具として捉える考え方から，金融市場における金利コントロールのための枠組みとして捉え直そうという考え方へと変化しつつある．すでに述べたように，現実の金融政策の操作変数は，ほとんどの国で短期金利である．したがって，同制度によって中央銀行当座預金への需要を安定的に創出するとともに，積み期間内における金利裁定を促すことにより，日々の金利変動をスムージングするという考え方が先進各国の主流となりつつあるのは，極めて自然な動きと言うこともできる．

　こうした準備預金制度に対する考え方の変遷とともに，同制度の様々な見直

し作業も同時に進んでいる．これは，近年の金融技術革新や規制緩和の動きを背景とした預金類似商品の登場によって，安定的な準備需要の確保に懸念が生じてきたほか，同制度の存在による市場の歪みや金融機関間の不公平さが顕在化してきたことに起因する．具体的な見直し作業としてまず第1に挙げられるのは，準備率引下げの動きである．なかでも，カナダが1992年6月～1994年7月にかけて，準備率を段階的にゼロにまで引き下げたことは注目に値する．ゼロ・リザーブを採用している国，あるいは実質的に準備預金制度が存在していない国としては，カナダの他にも，オーストラリア，ベルギー，スウェーデン，英国等が挙げられる．こうした措置の目的は，金融機関の準備預金負担を決済上必要最小限な額にまで軽減することによって，同制度が存在することによる市場の歪みを出来るだけ取り除くことにあると考えられる．

第2に挙げられるのは，準備預金に対する付利の動きである．ECB（European Central Bank：欧州中央銀行）が，すでに準備預金に対し，積み期間における定例オペレートの加重平均値を金利として支払っているほか，米国でもグリースパンFRB議長が準備預金への付利を積極的に支持する発言をしばしば行っている．こうした動きの背景には，金融機関が準備預金負担を回避するインセンティブを予め取り除くことによって，安定的な準備需要を長期的に維持するとともに，対象金融機関と対象外金融機関の競争条件を平準化するという狙いがあるものと考えられる．

# Appendix 6　準備預金への付利

　第2章やAppendix 5でみたように，電子決済手段の普及に伴い準備需要が不安定化することへの政策的対応の一つとして，準備預金へ付利することが考えられる．こうした準備預金への付利は，MMF等の新たな金融商品の登場による準備需要の不安定化を受けて，多くの経済学者によって提唱されてきたものであり，伊藤（元）・川本・谷口 [1999] は，そのメリットや問題点を詳しく検討している．そこで，以下では，この点に関する伊藤（元）・川本・谷口 [1999] の議論を紹介する．

**「準備預金への付利」提案の背景**

　マネタリーベースに対する需要を長期安定的に維持することは，政策運営スタイルにかかわらず，金融政策の有効性を保持するうえで必要不可欠である．米国では，1980年代以降，MMFの普及に伴い銀行預金のシェアが縮小し，マネタリーベース，特に，準備需要が減少してきたため，準備預金制度の枠組み変更も含め，様々な政策的対応策が提案されてきた．その中でも，「準備預金への付利」提案は，多くの経済学者や中央銀行関係者によって提唱された比較的人気の高いアイディアであった（Feldstein [1992], Feinman [1993], Goodhart [1993]）．

　例えば，Feldstein [1992] は，準備需要を安定的に維持するため，MMFを含む決済性預金類似商品すべてに準備預金を賦課したうえで，それに付利することを提唱している．フェルドシュタインによれば，金融機関同士の競争条件を平準化するという点からも，この対応策は望ましい．また，中央銀行関係者の間でも，例えばグリーンスパンFRB議長は準備預金への付利を支持する発

言をしばしば議会などで行っているし[37]，ECB（European Central Bank：欧州中央銀行）はすでに準備預金に市場金利相当の付利を行っている．

**準備預金へ付利することのメリット**

準備預金への付利には，安定的に準備需要を確保できるというメリットに加え，貨幣保有に伴う「社会的厚生損失（distortion）」を減少させることができるというメリットもあると考えられる．かつてミルトン・フリードマンは，貨幣に金利を付与しないことによる社会的厚生損失は重大であり，「デフレーション」によって貨幣保有の実質収益率を高めるべきであると主張したが，準備預金に付利を行えば，デフレを引き起こさずともそうした社会的厚生損失を回避することが可能となる[38]．

**準備預金付利の問題点：中央銀行の金融調節能力への影響**

しかし一方で，準備預金やマネタリーベースに対して付利される状況が進むと，金融調節による金利やマネーのコントローラビリティが損なわれるのではないかという懸念も指摘されている．すなわち，中央銀行債務である準備預金にも competitive な金利を支払う一方で，オペに用いる TB（treasury bill, 割引短期国庫債券），FB（financing bill, 政府短期証券）等にも同じような金利が支払われる状況では，両者を交換しても金利やマネーに影響を与えることが出来ないのではないか，という疑念である．たしかに，トービン流の資産市場の一般均衡モデルを念頭に置いて考えると，マネタリーベースに他の収益性資産と同じ市場金利が付された場合，貯蓄者にとっては，wealth の増加を

---

37) もっとも，準備預金への付利は FRB の連邦政府への納付金を減少させるとの理由から，米国議会の一部には慎重論も根強いようである．
38) フリードマンの指摘した社会的厚生損失を完全に回避するためには，準備預金のみならず，さらにもう一歩進んで，現金通貨にも市場金利を支払う必要がある（Hall［1983］）．現金通貨に付利することに対しては，技術的困難さを指摘する論者も多いが（例えば Fama［1983］），Goodhart［1993］は，現金通貨に付利する方法として銀行券の券番を利用した「宝くじ」のような仕組みを考えることにより，貨幣の「期待」収益率をプラスにすることができると主張している．しかしながら，IC カードなどの情報技術がさらに大きく進歩を遂げれば，現金通貨に付利することに伴う技術的困難は，相当部分解決されるかもしれない．

マネタリーベースのかたちで保有するのと，債券をはじめとする収益性資産で保有するのは無差別となってしまう．つまり，こうしたフレームワークの下では，「貨幣の収益率がゼロである」ということは，マネタリーベースと収益性資産を「非代替的」にするという意味で，金融政策の有効性を確保するための重要なアンカーとなっているのである．

こうした問題提起に対し，Goodhart [1993] は，たとえマネタリーベースに付利したとしても，それが同じ金利の付いた他の金融資産と完全代替的になると考えるのは非現実的である，と反論している．すなわち，グッドハートによれば，たとえ「価値保存手段」という意味でマネタリーベースと他の収益性資産の代替性が高まったとしても，「交換（決済）手段」という意味では，マネタリーベースに対して・ファイナリティ・需要という，他の金融資産には決して存在しない「独自の」残高需要が存在する．このような立場に立てば，マネタリーベースだけがファイナリティを有する決済手段であり続けると考える限り，準備預金に付利を行っても，金融市場調節の技術的なものを除けば本質的な問題は発生しないと言うことができる．

# 第Ⅰ部：参考文献

伊藤隆敏・川本卓司・谷口文一,「クレジットカードと電子マネー」*IMES Discussion Paper* No.99-J-16, 日本銀行金融研究所, 1999年.
伊藤元重・川本卓司・谷口文一,「MMFと電子マネー」*IMES Discussion Paper* No.99-J-21, 日本銀行金融研究所, 1999年.
岩田規久男・堀内昭義,『金融』東洋経済新報社, 1983年.
岩村充,「金融市場における量と金利の決定メカニズム」『金融研究』第10巻第2号, 日本銀行金融研究所, 1991年.
日本銀行金融研究所,「電子決済技術と金融政策との関連を考えるフォーラム」中間報告書,『金融研究』第18巻第3号, 日本銀行金融研究所, 1999年.

Bank of International Settlements, *Implications for Central Banks of the Development of Electronic Money*, 1996.
Berger, A. N., D. Hancock, and U. C. Marquardt, "A Framework for Analyzing Efficiency, Risks, Costs, and Innovations in Payments System," *Journal of Money, Credit, and Banking*, 1996.
Blanchard, O., and S. Fisher, *Lectures on Macroeconomics*, The MIT Press, 1989.
European Central Bank, *Report on Electronic Money*, August 1998.
Fama, E. F., "Financial Intermediation and Price Level Control," *Journal of Monetary Economics*, 12, 1983.
Feinman, J., "Reserve Requirements: History, Current Practice, and Potential Reform," *Federal Reserve Bulletin* 79, June 1993.
Feldstein, M., "The Recent Failure of U. S. Monetary Policy," *NBER Working Paper* No.4236, December 1992.
Goodhart, C., "Can We Improve the Structure of Financial Systems?," *European Economic Review* 37, 1993.
Hall, R., "Optimal Fiduciary Monetary System," *Journal of Monetary Economics*, 12, 1983.
Makinen, G., and T. Woodward, "Some Anecdotal Evidence Relating to the Legal Restrictions Theory of the Demand for Money," *Journal of Political Economy* 94-2, 1986.
Niehans, J., *International Monetary Economics*, Johns Hopkins University Press, 1984.
Poole, W., "Optimal Choice of Monetary Policy Instruments in a Simple Stochastic Macro Model," *Quarterly Journal of Economics* 84, May 1970.
Schreft, S. L., "Looking Forward: The Role for Government in Regulating Electronic Cash," *Economic Review*, Federal Reserve Bank of Kansas, 1997.
Tobin, J., "Commercial Banks as Creators of Money," in D. Carson ed., *Banking and Monetary Studies*, Homewood: Irwin, 1963.

Wallace, N., "A Legal Restictions Theory of the Demand for Money and the Role of Monetary Policy," Federal Reserve Bank of Minneapolis *Quarterly Review,* 1983.

Woodford, M., "Doing Without Money : Controlling Inflation in a Post-Monetary World," *NBER Working Paper* No. 6188, 1997.

# 第II部
# 情報技術革新のインパクトと金融政策

# 第3章
# 情報技術革新の本質

1 情報技術革新の特徴
2 情報技術革新と生産面での効率化
3 ネットワーク利用のメリット
4 情報技術革新による社会経済の枠組みの変化

コンピューターの急速な進歩やインターネットの発達に代表される情報技術革新は，18世紀から19世紀初頭の紡績機械や蒸気機関を中心とした第1次産業革命，19世紀末の電気，電信電話，鉄道等の第2次産業革命に続く，第3次産業革命をもたらしているとの論調がみられている．現在の情報技術革新のインパクトについては，現時点で未だ確かなことを言えない部分が多いものの，第4章以下でみるように，金融経済の幅広い分野に大きな影響を与えている，ないし，今後与える可能性が高いと考えられる．

では，現在の情報技術革新が金融経済の変化を促している源泉は何であろうか．本章では，まずこうした問いについて考察を進める．

## 3.1 情報技術革新の特徴

1946年に世界初のプログラミング可能なコンピューター（ENIAC, Electronic Numerical Integrator And Computer）が開発されたことに始まるコンピューターの歴史は，当初は大型化の道を歩んだ．しかし，1971年にインテル社によってマイクロプロセッサーが開発されたのを転機に，その性能がその後飛躍的に向上するのに伴って，コンピューターの小型化（PC〈Personal Computer〉化）が進行した．この間，コンピューターの価格は大きく低下する一方，ムーアの法則（1つのマイクロプロセッサーに集積されるトランジスタ数は18ヵ月ごとに2倍になる，という経験則のこと）に象徴的に示されるように，情報処理の能力は急速に向上した．例えば，表3-1をみると，平均的

表3-1 PCの価格，能力変化

|  | 1984 | 1997 | 1998 |
|---|---|---|---|
| 価格 | $3,995 | $999 | $799 |
| MIPS | 8.3 | 166 | 266 |
| コスト/MIPS | $479 | $6 | $3 |

資料：熊坂[1999], Federal Reserve Bank of Dallas [1997].
備考：MIPS=Million Instructions Per Second.

なPCの価格は1984年の3,995ドルから，1998年には799ドルに低下している．一方，コンピューターの処理能力を示す指標の1つであるMIPS（Million Instructions Per Second：1秒間に処理可能な命令数，百万単位）は，1984年の8.3から，1998年の266まで飛躍的に上昇している．この結果，1MIPS当たりのコストは，1984年の479ドルから1998年の3ドルへと劇的に低下している．

また，通信網についても，従来の「集権型ネットワーク」（電話網のように大型コンピューターを頂点としたネットワーク）から，PCを各端末として利用したLAN（Local Area Network）をつないだ「分権型ネットワーク」へと，PCとネットワークの融合が進展している（図3-1）．そうした中，情報伝達の低コスト化やネットワークの外部性によりネットワークの規模が急速に拡

**図3-1　ネットワークの構造**

a） インテリジェント・ネットワーク（電話）

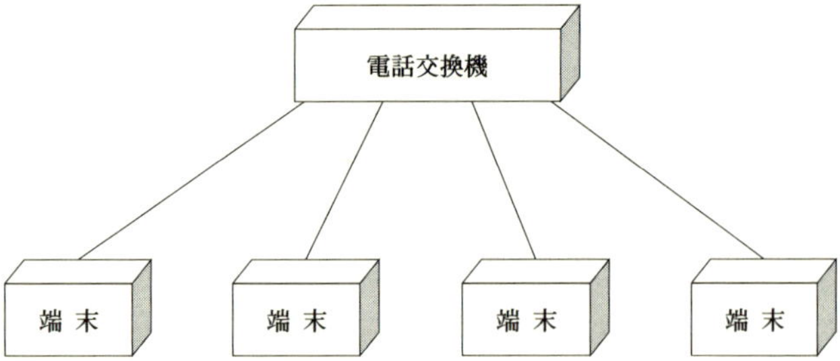

b） ステューピッド・ネットワーク（インターネット）

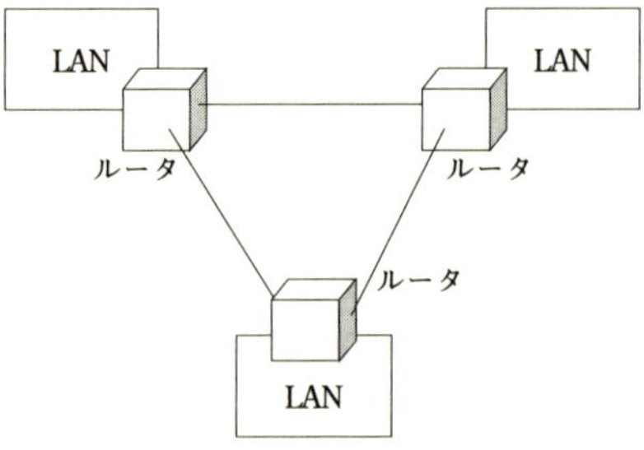

資料：池田 [1999].

大し,ネットワークの広域化が進んでいる.ここでネットワークの外部性とは,ネットワーク(例えば電話など)の加入者が増加するにつれて受発信の対象拡大による加入者の便益(ベネフィット)が飛躍的に高まることを指している(ただし,加入者自身は加入者総数をコントロールできないため,外部効果の影響下にある[1]).

こうした指数関数的なコンピューターの性能向上や,インターネットに典型的にみられるネットワークの外部性によって,現在の情報技術革新は,かつての技術革新に比べ,その普及スピードが驚異的に速い.すなわち,米国で,19世紀に電気や自動車が発明されて国民の25%に普及するまでには,およそ50年を要した.しかし,最近のコンピューター(PC)やインターネットが同じく国民の25%に普及するのに要した年数は,それぞれ16年,7年と非常に短い[2](表3-2).

以上のように,現在の技術革新の特徴は,①情報処理技術と通信技術の融合,②そのもとでの情報処理・伝達の迅速化,低コスト化,広域化(グローバル化),③普及スピードの驚異的な速さと捉えることができる.

こうした情報技術革新は,財・サービスの生産工程のうち,情報処理にかかる部分の効率化をもたらしているほか,ネットワークの利用による情報の受発信コストの低下を通じて,情報量を飛躍的に増大させている.以下では,生産の効率化とネットワーク利用のメリットについて検討を進めていく.

表3-2 発明された製品が国民の25%に普及するまでの年数(米国)

| 発明品 | 発明の年 | 普及にかかった年数 |
| --- | --- | --- |
| 電気 | 1873 | 45 |
| 電話 | 1876 | 35 |
| 自動車 | 1886 | 55 |
| PC | 1975 | 16 |
| インターネット | 1991 | 7 |

資料:熊坂[1999],Federal Reserve Bank of Dallas[1996].

---

1) 奥野・鈴村・南部[1993].
2) 携帯電話も,発明されて国民の25%に普及するまでに13年しかかかっていない.

## 3.2 情報技術革新と生産面での効率化

情報技術革新による情報処理・伝達能力の飛躍的向上やそのコストの大幅な低下によって，財・サービスの生産工程のうち，情報処理にかかる部分の効率化が進展している．これにより，①既存の財・サービスの質向上や価格の低下がもたらされているほか，②従来は事実上不可能であった財・サービスの生産が可能になっている．

具体的な事例をみると，金融面では従来型の金融サービス（銀行の窓口業務や証券の取次業務）がネット上に移行されることにより，大幅な価格引下げが可能になっている．また，第5章で詳しくみるクレジット・スコアリング・モデルの開発によって，従来人の手によって行われていた審査業務を，コンピューターを使ってシステム化することにより，低コストで行うことが可能になっている．さらに，デリバティブに代表されるような新たな金融技術の商品化も，コンピューターの演算処理能力向上の成果である[3]．

一方，実体経済活動の面でも，IT（Information Technology）関連投資の活発化によるIT関連資本ストックの蓄積，およびそれに伴う省力化や生産工程の効率化，在庫管理の効率化[4]を通じて[5]，製品価格の低下がもたらされている．また，例えば，情報の受発信コストの低下によって，従来の見込み生産方式から，消費者の注文に合わせた注文生産が可能になり，消費者のニーズに合わせた財の提供が実現している．

---

[3] これらの点について，詳しくは第5章を参照されたい．
[4] 例えば，現在ではインターネット上での電子市場（MetalSite等）において，企業間での余剰在庫の取引が簡単に行えるようになっている．このため，企業の適正在庫率は低下すると考えられる．
[5] 情報技術革新によるマクロ的なTFP（Total Factor Productivity，全要素生産性）の上昇については，第7章を参照されたい．

## 3.3 ネットワーク利用のメリット──情報量増大の観点から

**ネットワーク利用のメリット**

　インターネットの発達によって，情報の受発信コストが大きく低下した結果，各経済主体が受信する情報や発信する情報の種類・量は従来とは比較にならないほど増加している．こうした情報の種類・量の増大は，金融・経済活動に対してどのようなインパクトを持つのであろうか．

　ネットワークを利用することで，情報を収集するコスト（サーチ・コスト）は大きく低下しており，以前に比べ，より多くの取引相手や購入対象となる財・サービスを調べられるようになっている．こうした取引相手等に関する選択肢の増加によって，現状よりも有利な条件を示す別の取引相手を見つけることができる可能性が高まっている．このように，ネットワークの利用は，サーチ・コストの低下を通じて個々の企業活動や消費活動にメリットをもたらすと考えられる[6]．

　例えば，ある消費者が，どの販売業者から購入しても質が変わらないような財（例えば，新車，CD，書籍）を購入するケースを考えてみよう．消費者は，インターネットを使って「どの業者がいくらでその商品を売っているのか」を瞬時に検索でき，業者間での価格の比較が容易にできる．これによって，最も安い店からその商品を購入することが可能になっている．こうした例は，ネットワーク利用によるサーチ・コストの低下が，社会的厚生を高め，利益をもたらしていることを示している．

　なお，こうしたネットワーク化のメリットを享受できるかどうかは，情報を利用する側の情報へのアクセス能力にも依存しており，情報にアクセスできない主体はメリットを享受できないことになる（いわゆるデジタル・デバイド問題）．このため，情報技術革新の恩恵を社会全体に均霑させるためには，こう

---

[6] ネットワーク利用のメリットとしては，これ以外にデジタル化が可能な商品（例えばソフトウェアや音楽）の配送コストが大きく低下していることが挙げられる．この点については，第6章を参照されたい．

した問題への政策対応も必要となり得よう．

**ネットワーク化のもとでの情報の非対称性**

　ネットワーク化は一般にメリットをもたらすと考えられるが，財・サービスの売り手と買い手といった取引者同士の間に情報の偏り，すなわち，情報の非対称性がある場合についても，ネットワーク化がメリットをもたらすのかについては，慎重に検討する必要がある．ここでは，情報の非対称性の存在を前提に，①情報技術革新による情報量の増大は情報の非対称性を消滅させるか，また，②情報技術革新による発信コストの低下によって，意図的に自分にとって都合のよい情報や「嘘」の情報を発信することが容易になり，社会的に負荷をもたらすことはないかについて，検討することにしたい．

　まず，情報技術革新に伴う情報量の増大は，情報の非対称性を消滅させるかについては，情報量がいくら増大しても，情報の非対称性自体はなくならないと考えられる．

　この点について，情報の非対称性の代表例である中古車市場を取り上げ，中古車がインターネット上で売買されるケースを考えてみよう．現在では，インターネットの利用により，瞬く間に低コストで，多くのディーラーで取り扱っている中古車情報を入手することができる．この結果，従来は家の近くのディーラーの品揃えに制約されていた選択肢が飛躍的に増加し，消費者にメリットをもたらしていると考えられる．しかし，ネット上で得られる車種・年式・走行距離・価格といった情報だけで，購入する中古車を決定する人は普通はほとんどいないだろう．なぜなら，エンジンの調子といった，実際に試乗して初めて分かるデジタル化できない情報は，ネット上では得られないためである．例えば，経済産業省，電子商取引推進協議会，NTTデータ経営研究所が共同で行った調査によれば，わが国では，2001年には，インターネット上での自動車取引はB to C（企業消費者間）電子商取引全体の約4分の1を占めているが，これは大半が新車取引であり，中古車取引はほとんどないと言われている．このことは，情報量増大のもとでも情報の非対称性が完全には解消されないこ

とを端的に示している．

　次に，情報量の増大が社会的な負荷をもたらすのかどうかについては，それを肯定する見方と否定的な見方が可能であるため，明確な結論を出すことは難しい．すなわち，インターネットでは他の情報とのリンク付けが容易になっており，様々な情報を利用することにより情報の真偽を簡単に確かめることが可能になっている．このためネットワーク化のもとでは，必ずしも「嘘」の情報の情報全体に占める比率が増加するわけではないと考えられる．しかし一方で，情報技術革新は，「嘘」の情報を流すという誘因の問題を自動的に解決するものではなく，「嘘」の情報も発信し易くなることも否めないため，情報量の増大は意義のある情報だけでなく，無意味な情報や「嘘」の情報量の増大をもたらすおそれがあるとも考えられる．したがって，意味のある情報（玉）が増えても，それ以上にノイズや「嘘」の情報（石）が増えかねず，玉石混交の中から玉を見つけだすことはかえって困難になる可能性がある．この場合には，情報量増大の負荷を軽減させる何らかの枠組みが必要になる．

　この点について，先ほどみた中古車のネット販売の例で考えてみよう．たとえディーラーが自分にとって都合のよい情報を意図的に流したとしても，消費者が，中古車を取り扱っているディーラーを利用した経験を持つ人達から情報を入手し，ディーラーの評判を事前に把握できれば，ディーラーの「嘘」を見破り候補車の絞り込みが容易になる．逆に，このように容易に嘘が見破られることが事前に予想されるなら，ディーラーは，自らの信頼や評判を低下させることにつながる「嘘」の情報を意図的に流すことはしないと考えられる．

　しかし一方で，各ディーラーは，（消費者の判断能力を超えているため）簡単に真偽を判断できないような「嘘」の情報を流すかもしれない．この場合には，ディーラーからの情報を信じたために，候補車の中に「レモン（質の悪い中古車）」が紛れ込み，それを購入してしまうリスクが増えてしまうことも起こりうる．これは消費者にとってデメリットである．

　この場合，例えば，専門性を持つ第三者が，各消費者に代わり，ディーラーが信頼できるかどうかの情報を生産し，提供するようになれば，消費者は候補

車の絞り込みが容易になる．このように，情報の真偽に関する情報を生産・発信する「信頼できる情報仲介業」の存在によって，情報の非対称性の弊害が軽減される可能性については，第4章で検討することにしたい．

### 3.4 情報技術革新による社会経済の枠組みの変化

　これまで，情報技術革新によって，生産の効率化やネットワーク利用によるサーチ・コストの低下といったメリットがもたらされることをみてきた．こうした情報技術革新のメリットは，他方で，これまでの社会経済の枠組みを大きく変える可能性を有しているとも言える．では，どのような変化が起こり得るのであろうか．

　情報技術革新による情報処理・伝達能力の向上は，既存の技術の陳腐化をもたらしている．また，情報処理・伝達コストの低下によって，新たな技術を導入するコストも低下しており，これまで相対的に競争力が劣っていた企業や他産業の企業が新たに最新の技術を導入し，一挙に競争力を高めることが容易になっている．こうした現象は技術の「馬跳び（leapfrogging）」と呼ばれ，その代表例としては，東南アジア諸国での携帯電話の急速な普及を挙げることができる．すなわち，先進諸国は，すでに電話網を整備していたため，携帯電話の普及が当初はあまり進展しなかったが，東南アジア諸国では電話網の整備が遅れていたため，最新の技術を使用した携帯電話が急速に普及した．

　このように，情報処理・伝達コストの低下によって，技術の「馬跳び」が容易になっている結果，何らかの要因によって，新たな技術を導入できない場合には，既存の技術を使った企業の相対的な不利化，換言すれば，企業価値（「のれん」）の低下が進行するとみられる．こうした動きは，例えば第5章で述べる銀行業の情報生産における優位性低下にみられており，これが，金融業への他産業からの新規参入の増加を促しているとも考えられる．

　また，前節で検討したネットワークの利用によるサーチ・コストの低下は，「情報仲介業」のような，情報の非対称性を軽減させる枠組みと相俟って，取

引相手の選択肢を広げ，より有利な取引を行う可能性を高めている．さらに，情報技術革新の特徴の1つである情報処理技術とネットワークの融合によって，情報の処理や共有のあり方が変化し，様々なビジネスの進め方にも大きな影響を及ぼすとみられる．このため，既存のビジネス・モデルや取引形態を維持することの機会費用は上昇し，企業の経営形態や取引の枠組みが変化する可能性がある．ただ，この点については，取引相手を変更することから得られるメリットが，既存の取引から得られるメリットや既得権益を上回るほど大きくなければ，実際に変化は生じないということには注意する必要がある．したがって，社会的な構造の硬直性が大きく，既得権益があまりにも大きい場合には，これまでみてきた情報技術革新のメリットを活かすことは不可能である．このため，こうした硬直性がどこに存在しているかを見極めるとともに，いかにして社会の構造的硬直性を解消していくかが今後の政策的な課題となろう．

　こうした変化は実際にどの程度起こっているのであろうか．また，こうした変化の方向性のもとで，系列・下請け取引をはじめとする伝統的な財・サービスの取引形態はどう変化し，また，金融業は具体的にどのように変貌を遂げるのであろうか．以下の章では，こうした問題意識に立ち，検討を行うことにする．

# 第4章
# 電子商取引の拡大の影響

1 電子商取引の現状

2 電子商取引の拡大の影響

3 電子商取引の拡大と価格形成，金融政策

第4章 電子商取引の拡大の影響　83

　第3章でみたコンピューターと通信網の融合によって，インターネット上での商取引が可能になっており，電子商取引はその規模を急速に拡大しつつある．こうした電子商取引の登場により，最終需要者と生産者の直接取引が容易になっているほか，一部企業では，系列の枠組みを超え，グローバルに部品調達を行うといった動きがみられ始めている．このため，流通部門が必要のない存在になる（いわゆる「中抜き」）のではないかとか，従来わが国の企業間取引の1つの特徴であった系列・下請け取引がなくなるのではないかとの主張もみられている．また，電子商取引では，流通段階が「中抜き」され物価に下落圧力が生じるほか，価格の頻繁な改定が容易になることにより，いわゆる摩擦のない完全市場が出現するとの指摘もなされている．このような劇的な変化が，果して電子商取引の拡大によって広範に生じるのであろうか．もし，生じるとしたら，金融政策はどのような影響を受けるのであろうか．

　以上の問題意識に基づき，本章では，電子商取引の現状をみたうえで，電子商取引の拡大によって，これまで行われてきた経済主体間での財・サービス取引の形態が変化する可能性について検討する．そのうえで，電子商取引の拡大が価格形成に及ぼす影響と，その金融政策へのインプリケーションを考える．

## 4.1　電子商取引の現状

　電子商取引は，企業間取引である B to B（Business to Business）取引と企業－消費者間取引である B to C（Business to Consumer）取引に大別できる．

　こうした電子商取引の規模は，1990年代以降急速に拡大しており，経済産業省，電子商取引推進協議会，NTT データ経営研究所が共同で行った調査によれば（図4-1），2001年における日本の B to C 取引市場は1兆4,840億円，B to B 取引市場は33兆6,030億円に達している．また，2006年にかけて，B to C 市場は年率約3割，B to B 市場は年率約6割のスピードで，それぞれ拡大

図 4-1

a) B to C 電子商取引の市場規模

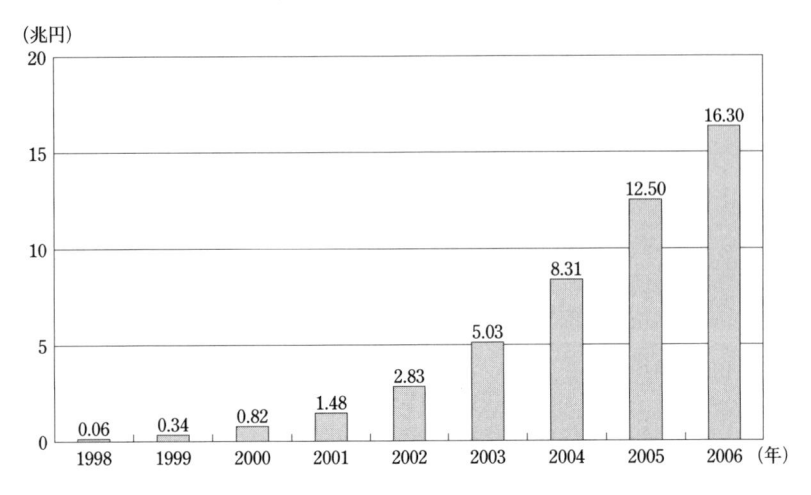

(兆円)
| 年 | 1998 | 1999 | 2000 | 2001 | 2002 | 2003 | 2004 | 2005 | 2006 |
|---|---|---|---|---|---|---|---|---|---|
| 市場規模 | 0.06 | 0.34 | 0.82 | 1.48 | 2.83 | 5.03 | 8.31 | 12.50 | 16.30 |

b) B to B 電子商取引の市場規模

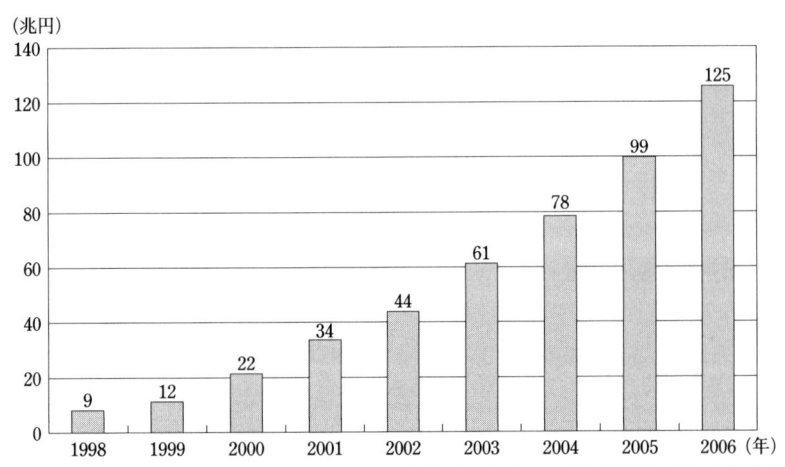

(兆円)
| 年 | 1998 | 1999 | 2000 | 2001 | 2002 | 2003 | 2004 | 2005 | 2006 |
|---|---|---|---|---|---|---|---|---|---|
| 市場規模 | 9 | 12 | 22 | 34 | 44 | 61 | 78 | 99 | 125 |

資料:経済産業省・電子商取引推進協議会・NTT データ経営研究所「平成13年度電子商取引に関する市場規模・実態調査」.
備考:2002年以降については予測値.

すると予想されている.

また,B to C 取引の家計消費支出に占める比率は,2001年においては 0.55% とまだまだ小さいが,2006年には 5.8% に上昇すると予想されている[7].一方,B to B 取引の最終需要と中間需要に占める比率も,2001年においては 5.04% であるが,2006年には 17.5% に達し,大きなインパクトをもたらすと予想されている.

## 4.2 電子商取引の拡大の影響

以上のように,電子商取引は今後も急速に拡大すると予想されているが,こうした新たな取引形態の拡大は,伝統的な取引の枠組みにも少なからぬ影響をもたらすと考えられる.では,先ほど述べたような系列取引や流通段階の消滅といった現象は,どこまで現実に起こると考えられるのであろうか.

実際の商取引では,情報の非対称性によるエージェンシー問題が発生している[8].エージェンシー問題とは,ある業務の遂行に当たって,業務の遂行を委託する主体(プリンシパル)と業務を遂行する主体(エージェント)との間に発生する問題で,エージェントのとる行動が常にプリンシパルにとって望ましいとは限らないため,エージェントの行動を何らかの方法によってプリンシパルの利益にかなうように動機付けする必要があるという問題のことである.こうしたエージェンシー問題に対処するため,現実の取引は,市(いち),卸・小売業,下請け・系列取引といった枠組みのもとで行われている.

本節では,こうしたエージェンシー問題を踏まえながら,電子商取引の拡大による取引形態の変化について検討する.

---

[7] 国民所得統計の最終消費支出の作成に当たって,耐久消費財の消費支出としては,その購入額を使用している.しかし,原理的には,耐久消費財の購入額は投資と捉え,その耐久消費財から得られる帰属サービスを消費支出とすべきかもしれない.もし,そのようにして計測された最終消費支出を使えば,B to C 取引の大きさの評価は,上述の結論とは異なる可能性がある点には留意が必要であろう.
[8] 詳しくは,例えば,倉澤 [1989] を参照されたい.

**エージェンシー問題解決の伝統的な枠組み**

まず,エージェンシー問題を解決するための伝統的な枠組みをやや詳しくみると以下のとおりである.

**企業・消費者間(B to C)取引**　B to C 取引での,エージェンシー問題解決のための枠組みとしては,まず複数の生産者が定期的に1つの場所に集まる市(いち)の存在が挙げられる.こうした仕組みは,消費者にとってのサーチ・コストを低下させるとともに,繰り返し取引を行うことによる評判の確立によって,エージェンシー・コストの引下げを可能にしている.このエージェンシー・コストは,エージェンシー問題のために,プリンシパルの利益にかなうようにエージェントの行動を動機付けるための方策の実施にかかるコストと,こうした方策の実施にも関わらず,エージェンシー問題がない場合に比べてプリンシパルが蒙る不利益の合計である.一方,市の存在は,生産者にとっても,消費者を個別に捜す手間が省けることになり,サーチ・コストの低下をもたらす.

また,卸・小売業の存在も,生産者・消費者双方のサーチ・コストを低下させている.こうした仲介業者は,生産者や商品の情報を蓄積し,専門性を高めることによって,質の悪い商品を取扱商品から外し,エージェンシー・コストの引下げを実現している.

**企業間(B to B)取引**　B to B 取引におけるエージェンシー問題解決のための枠組みとしては,まず,系列・下請け制度が挙げられる.こうした制度のもとで[9],部品メーカーは親会社の製品仕様に合わせた特殊な投資を行い,親会社と部品の品質改良や新製品に合わせた部品仕様の変化といった情報を共有している.また,こうした下請け制度には継続取引に伴うメリット,例えば,情報の共有のほか,協調行動,資金融通や人的交流があるうえ,部品メーカーにとっては特殊な投資,親会社には社会的な評判といった「人質」があるため,継続的な取引を行うインセンティブが伴う.

---

9)　以下の議論は伊藤・松井［1989］に基づく.

さらに、国際的な企業間取引におけるエージェンシー問題解決のメカニズムとして、多国籍企業の存在が挙げられる．多国籍企業がなぜ存在しているのかについては、①1つの企業が様々な国で生産・販売活動を行っているのはなぜか、また、②異なる国での生産・販売活動が異なる企業ではなく同じ企業で行われるのはなぜか、という2つのポイントを考える必要がある．前者の問題については、安価な労働力の供給地、最終消費地、原材料の資源供給地といった立地要因が重要であり、後者については、中間財の調達や最終消費財の販売を同一企業で行うこと、すなわち、内部化のメリットに依存するとの考えが示されている．また、内部化のメリットとしては、技術移転の容易さや、中間財の品質や市場の情報等に関する情報の非対称性緩和、川上部門と川下部門の利益相反の阻止が指摘されている．川上部門と川下部門が別々の企業である場合には、川上企業は販売価格を引き上げようとする一方、川下企業は調達価格を引き下げようとするため、利益の相反が起こり得る．しかし、川下部門と川上部門が垂直統合されるなど、生産・販売過程が統合されている場合には、こうした問題は回避できることになる[10]．このように、内部化には、川上部門と川下部門の利益相反の阻止といったメリットもあると考えられる．

**電子商取引の拡大による取引形態の変化**

　B to C 取引　　インターネットの普及に伴い、検索サイトを利用することによって、消費者のサーチ・コストは大きく低下する一方、生産者もインターネットによって消費者ニーズの調査をはじめサーチにかかるコストが低下するため、インターネットを通じた生産者・消費者間の直接取引が従来に比べ増加している．

　しかし、情報の非対称性が問題となる財・サービス取引の場合、直接取引ではエージェンシー問題を解決できないため、円滑な取引を確保するためには、何らかの仕組みが必要となる．例えば、「楽天」のような電子マーケットモー

---

[10] この点については，Krugman and Obstfeld [1994] を参照されたい．

ルは，基本的には「市」の機能と同じである．様々な仲介を行うサイトの登場は，電子商取引においてもエージェンシー・コストを引き下げる仲介業の役割が重要であることを示唆している（この点については【Box 4】参照）．

現在，電子商取引では，まさしく雨後の筍のように，生産者と消費者を結ぶ情報の仲介業者が誕生している．しかし，仲介業者が生産者や消費者に選別される過程では，評判やブランド・イメージが重要な役割を果たし，いかにして「信頼」を勝ち取るかが重要になる．したがって，こうした企業のすべてが成功するわけではなく，このうちの一握りの仲介業者が成功するとみておくべきであろう（電子商取引で，仲介業が信頼を獲得するための実務的な方法については Appendix 7 を参照されたい）．

B to B 取引　インターネットの発達に伴って，従来から行ってきた取引相手を変更するかどうかは，取引相手を変更し低価格での中間財調達が可能になるというメリットが，系列・下請け取引，多国籍企業内での取引によるメリットを上回るかどうかで決まる．

例えば自動車のワイパー，鉄鋼製品，コンピューター部品のような，多くの企業の製品において汎用性の高い中間財については，系列企業間で情報を共有することのメリットに比べ，より低価格で調達することのメリットが大きい．このため，こうした部品では，系列・下請け・多国籍企業内での取引の枠組みを超えた取引が世界規模で起こりつつある[11]．

しかし，特定の企業の製品のみにカスタマイズされた部品，例えば，自動車の承認図部品（設計段階から親会社と下請け企業が協力して作り上げていく部品のこと）については，インターネット上での取引を行うメリットは小さいと考えられる．なぜなら，新たな企業と取引を行おうとすると，その部品に特有の情報を提供し，取引先にその部品に合わせた設備投資を行わせなければならないなどコストが高くつくためである．

また，生産方式という観点からみると，社内の部門間や部品・組立メーカー

---

[11] 例えば，2000 年 5 月に，世界の大手電機メーカーが共同で電子部品の取引を行う電子市場を設立することを発表した．

間での緊密なコミュニケーションによって，完成品の仕様に合わせた部品を作成し，それを組み立てる生産方式である，「閉鎖・すり合わせ（クローズド・インテグレート）型」[12]の生産よりも，各部品の機能が完結的で，部品相互間のつなぎ設計が標準化され，部品の寄せ集め設計が可能であるため，様々な企業に財の工程が開放されている生産方式である，「開放・寄せ集め（オープン・モジュラー）型」[13]の生産の方が，電子商取引との親和性が高いと考えられる．したがって，「閉鎖・すり合わせ（クローズド・インテグレート）型」の生産が主流である限りにおいて，従来の取引の枠組みが変化するのは，一部の汎用性の高い中間財と考えられる．ただ，ネット上での部品調達によって完成品価格が下落し，消費者が価格選好を強めたり，「開放・寄せ集め（オープン・モジュラー）型」の方式によって生産される財の比率が一段と上昇してくるならば，部品の共通化が進み，系列の枠組みを超えた B to B 取引が世界規模で増加する可能性もあろう．

### 【Box 4】電子商取引における信頼の重要性と仲介業の役割

インターネット上では，電子商取引のための様々な仲介を行うサイトが次々と誕生している．通常の取引と同じように，なぜ電子商取引でも仲介業が必要なのか，また仲介業は具体的にどのような役割を担っているのであろうか．以下では，この点について検討を行っている北村・大谷・川本［2000］の概要を紹介する．

**情報の非対称性と信頼の重要性**

電子商取引では，消費者は実際に財の現物をみたり，触ったりせずに財の購入に関する意思決定を行わなければならない．また，参入コストが非常に小さく，質の悪い業者の参入も容易になるため，情報の非対称性に伴うレモン問題，すなわち，売り手と買い手が持っている情報の差により，買い手が質の悪い商品（レモン）を購入させられる問題が発生する可能性は高い．このように，情報の非対

---

[12] こうした方式によって作られる財の代表例としてはセダン型乗用車がある．詳しくは，大蔵省［2000］を参照されたい．
[13] こうした方式によって製造されている財の例としては，トラックやPCがある．詳しくは，例えば，大蔵省［2000］を参照されたい．

称性が存在し，価格のシグナルとしての有効性が完全に発揮されない場合には，市場の失敗を回避するメカニズム（取引への「信頼」を獲得するための枠組み）が必要である．こうしたメカニズムとしては，①売り手がブランド・イメージの構築や広告等を通じて消費者に情報を提供する，②政府機関や市民団体といったの第三者が品質基準や品質保証を提供する，③民間仲介業（プラットフォーム・ビジネス）が情報を提供する，の3つが考えられる．

### 仲介業者の役割

プラットフォーム・ビジネスの機能として，以下の5点が指摘可能である．

**①取引相手の探索**　仲介業者は，多くの消費者を代表して情報収集を行うことにより，各々の消費者が個別に収集するよりもコストを引き下げることができる．また，様々な企業と取引を繰り返したり，同じ性能を持った製品に習熟することによって，企業や製品に関する情報収集コストを低下させることができる（以上，規模の経済〈economies of scale〉，範囲の経済〈economies of scape〉の活用）．さらに，ある財に関する小売店ごとの価格一覧表の提供等，情報を消費者のニーズに合うように加工し，低価格で提供することもできる．

一方，企業にとって重要な消費者の情報についても，個々の企業が別々にマーケティングを行うよりも，仲介業者が一括して収集した方がコストは低い．仲介業者はそれを企業のニーズに沿って，加工した形で提供することができる．

**②信用（情報）の提供**　ネットワーク上で取引相手を見つけたとしても，納期，品質，支払いなどの面で信用できなければ取引は成立しない．

仲介業者は売り手と買い手の間に入り，信用の仲介者という機能を果たす．例えば，クレジットカード会社は，売り手が取引相手を信用していなくてもカード会社を信用している，というメカニズムを作ることによって，取引を成立させている．

**③経済価値評価**　仲介業者は，長期にわたる経験や専門的な知識を基に，質の高い企業や製品を選び出し，情報リストに掲載するとともに，消費者から苦情のあった企業や製品をその情報リストから削除することによって，取引の対象を高品質の財に限定（レモンを排除）することも可能である．

**④標準取引手順**　ネットワーク上で様々な相手と取引を行う場合には，契約内容，取引手順，会計基準など商業上の基本的取り決めが標準化（プロトコル化）されていることが望ましい．これらの制度上の標準化は，政府や標準化機関があたることが多いが，民間のプラットフォーム・ビジネスが標準取引手順を考案し，公開することもあり得る．

> ⑤物流など諸機能の統合　　財やサービスの取引が現実に成立するためには，単に情報が交換されるだけではなく，宅配便の手配やクレジットカードによる支払の手続きといった，様々な機能が同時に提供されなければならない．これらの機能の統合を果たすのもプラットフォーム・ビジネスである．

## 4.3　電子商取引の拡大と価格形成，金融政策

　インターネットの発達により，サーチ・コストが低下し，最も安い価格で財・サービスを提供する企業を見つけ易くなっている．このため，インターネットによって時間的，地理的な制約が克服され，いわゆる摩擦のない完全市場が出現するとの指摘がみられる．

　では，実際には，電子商取引での価格形成はどのようになっているのであろうか．この点について，次の3つの視点から検証してみたい．第1は，電子商取引への移行により，価格水準がどう変化したか，という点である．第2は，価格の頻繁な変更（メニューコストの低下）が実現したか，という点である．レストランでは，食材である肉や魚の仕入れ価格が日々変動するが，その度にメニューの価格を書き換えていたら，かえってコストがかかる．こうしたメニューの書き換えに象徴される価格変更コストはメニューコストと呼ばれ，価格が硬直的であることの一つの理由と考えられているが，電子商取引への移行はこのメニューコストへ影響を及ぼすものと予想される．そして第3は，インターネット上での一物一価が実現したか（同一商品の価格のバラツキが縮小したか），という点である．これらの問題は，金融政策運営とも深く関連する問題であるため，そうした観点からも若干の検討を加えることにする．

**電子商取引の拡大による価格形成の変化**

　まず，電子商取引により価格形成がどのように変化するかについては，以下のように整理できよう．

　　**価格水準の低下**　　Brynjolfsson and Smith [1999] は，1998～99年に販売

された書籍とCDについて，通常の市場と電子商取引市場双方における販売価格の調査を行った．その結果，電子商取引市場の平均価格の方が，通常の市場のそれに比べ約16%も低いことを発見した．しかも，商品の輸送コストや地方売上税を加えた場合でも，書籍では9%，CDでは13%も電子商取引の販売価格の方が低かったと報告している．

**メニューコストの低下** Bailey［1998］やBrynjolfsson and Smith［1999］は，通常の市場と電子商取引市場との間で，価格変更の頻度がどの程度異なるのかを調査した．これは，あるショックが通常の市場と電子商取引市場の双方で全く同様に発生していると考えれば，メニューコストの低い市場では，より頻繁に価格変更が行われるはずだというアイディアに基づいている．その結果，両者の研究ともに，電子商取引市場の方が一般の市場に比べ，価格変更の回数が圧倒的に多いことが明らかにされた．特にBrynjolfsson and Smith［1999］は，電子商取引市場では1ドル以下の小さな価格変更の回数が非常に多く発生していることを報告している（図4-2, 図4-3）．これは，通常の市場であればメニューコストの存在により価格変更が行われないような小さなショックに対

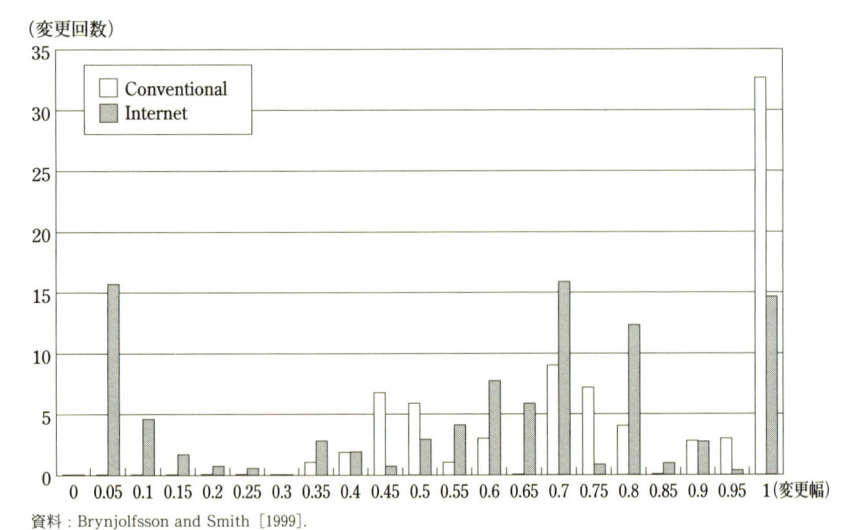

図4-2　書籍の価格変更幅のヒストグラム

資料：Brynjolfsson and Smith［1999］.

図 4-3　CD の価格変更幅のヒストグラム

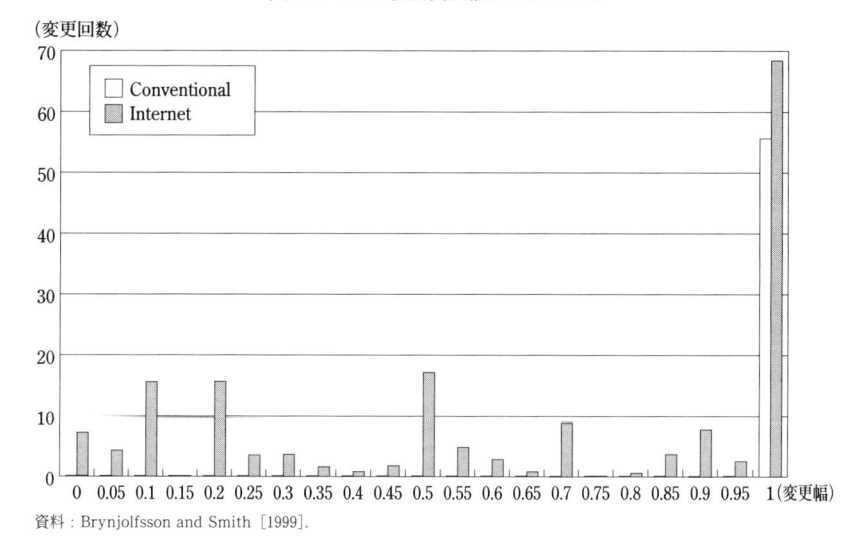

(変更回数)

資料：Brynjolfsson and Smith［1999］．

しても，電子商取引市場では価格変更が行われる可能性を示している．また，彼らは，通常の市場において，書籍の最低価格変更幅は 35 セントであるのに対し，電子商取引市場のそれは 5 セント，さらにこれが CD の場合だと，前者は 1 ドル，後者は 1 セントと大きく異なっていることも明らかにした．

**一物一価の不成立**　現実の経済では，同一商品においても価格差（最高価格マイナス最低価格）が存在するが，その理由としては，地理的な制約やサーチ・コストの存在による消費者の価格に関する情報不足が考えられてきた．電子商取引では，地理的な制約やサーチ・コストは大きく低下すると考えられるため，インターネット上の市場における同一商品の価格差は，通常の市場に比べ縮小すると考えるのが自然であろう．

しかしながら，Brynjolfsson and Smith［1999］は，電子商取引市場における同一の書籍，CD の価格差は最大 50％，平均でみても書籍では 33％，CD では 25％ もあることを報告している．また，オンライン旅行代理店で販売されている航空チケットの市場価格を調査した Clemons, Hann, and Hitt［1998］は，発着時間等の商品間の異質性を調整した後でも，なお 20％ もの価

格差が存在することを示している．このように，財の品質があまり問題にならない財についても，電子商取引市場では一般に予想されるような一物一価は成立していない．

こうした一物一価不成立の背景としては，以下の4つの要因が指摘できよう．

第1に，販売業者や商品への信用の問題である．つまり，最も安価な価格を提示しているサイトを信用することができず，潜在的なレモン問題に対処するため，信用できるサイトでしか取引を行わない消費者が多いと考えられる．

第2には，電子商取引における非匿名性が指摘できる．電子商取引（特にBtoC取引）では，財・サービス購入のため，自分の名前・住所・クレジットカード番号を提示する必要があり，ある程度のプライバシーを開示するコストを支払わなければならない．このため，いったんあるサイトにプライベートな情報を開示した後，別のサイトでより低価格の商品をみつけたとしても，それを購入するためには，再度新たに情報を開示しなければならないというコストがかかる．こうしたサイトを乗り換えるために必要となるスイッチング・コストを上回るほどの価格差が存在しない場合には，消費者は購入先を変更せず，その結果，ある程度の価格差が存続することになると考えられる．

第3に，「一人一価」とも言うべき価格差別の容易化が考えられる．例えば，ある航空チケットの販売サイトでは，消費者に2種類の選択肢を提示している．1つはチケットを販売会社が設定した定価で販売するチャネルであり，もう1つは販売会社とネット上で交渉し，より低価格での購入が可能なチャネルである．この結果，このネット販売会社は，交渉しても低価格で購入したいと考えている消費者と，交渉せずに定価で購入したいと考えている消費者を区別し，それぞれに異なる価格を提示していることになる．こうした価格差別の容易化は，消費者サイドからみれば，同一の商品であっても，業者の選定，財の輸送，価格交渉の有無など財の購入に付随するサービスまで含めた価格では，消費者ごとに異なるという「一人一価」が電子商取引では成立し易いことを意味している．

第4に，市場での独占力低下に伴って，人為的に成立していた一物一価が成

立しなくなる可能性が考えられる．現実の世界では，市場での裁定取引の結果ではなく，例えば再販価格制度のような市場での独占力に基づいた自主的な規制によって，人為的に一物一価が成立している品目もある．しかし，インターネット上では，新規参入の容易化による独占力の低下から，そうした規制等によって成立していた一物一価が成立しなくなる可能性があるとみられる．

**金融政策への影響**

以上のような電子商取引の拡大による価格形成の変化は，金融政策運営にどのような意味をもってくるのであろうか．

まず第1に，電子商取引の拡大による価格水準の低下[14]は，概念的には流通簡素化に伴う総供給曲線の下方シフトと捉えられる．したがって，中央銀行としては，電子商取引の拡大に伴う価格低下はある程度受け入れるというのが一般的な考え方であろう．しかし，現実の経済では，常時様々なショックが発生しているため，需要ショックと供給ショックを区別することは容易でない．それらのショックを区別するためには，コストと価格の関係（マークアップ率）をみることが1つの判断材料となるかもしれない．すなわち，マークアップ率の動きをトレンド的な部分とそれ以外の循環的な部分に分けた場合，循環的な部分は主として需要サイドの要因，前者のトレンド的な部分は供給サイドの要因によるものとの解釈が可能である．こうした情報をリアルタイムに分析することは大変困難な作業であるが，もしこれら各々の情報を正しく抽出することができるならば，政策判断上の追加的な判断材料になる可能性があると考えられる．

第2に，こうした電子商取引の拡大に伴う価格水準の低下は，価格差別の容易化と相俟って，物価指数の作成にも影響を及ぼす可能性がある．物価指数は，財・サービスの品質の変化を十分に反映しにくいことや，品目ウエイトを基準

---

14) 電子商取引自体は，前述のように現時点ではウエイトは小さいものの，電子商取引における価格の低下が，競争を通じて伝統的な販売チャネルの取引価格への低下圧力を生み出す可能性も考えられよう．

時点で固定することが多く，時間の経過とともに低価格の代替財に需要がシフトする影響を捉えられないことなどから，一般に上方バイアス（指数が実勢よりも高めに出る歪み）をもっていると言われている．このため，例えば，電子商取引が急拡大している中で，物価指数の改訂作業が遅れ，ネット市場で販売されている品目が調査対象に含まれない状況が続けば，物価指数の上方バイアスの問題は一層深刻化するかもしれない．また，物価指数の計測誤差が大きくなれば，実際に観測された物価変動が，供給ショックを反映したものなのか，需要ショックを反映したものなのか，あるいは計測誤差なのかを区別することがより困難になる[15]．さらに，価格差別化によって一物多価が進み，これまである商品カテゴリーの代表品目として使用されてきた品目の価格が，同一カテゴリー内の他の品目の価格と異なる動きを示す場合には，物価指数の指標性に大きな問題を投げかけることにもなる．いずれにせよ，電子商取引の拡大のもとで，物価指数の有効性・信頼性をいかに維持・向上させていくかは重要な課題となろう．

第3に，ネット上でのメニューコストの低下は，金融政策に対して重要な影響を持つかもしれない．すなわち，長期的には，実質GDPが完全雇用水準で一定とすれば，マネーサプライと物価は比例関係にあるため，実質マネーサプライは一定となり，マネーサプライの変動は実体経済に対して何の影響ももたらさない（マネーと実体経済の二分法が成立）．それにもかかわらず，金融政策が有効なのは，メニューコスト等による価格の硬直性によって，短期的には実質マネーサプライを動かし，実体経済に影響を及ぼすことができると考えられるためである．

しかし，電子商取引の拡大によってメニューコストが10分の1とか100分の1といったように桁違いに低下し，価格の伸縮性が格段に増すとすれば，マネーと実体経済の二分法が短期的にも成立し易くなり，金融政策が実体経済に与える影響力は弱まる可能性も考えられよう．

---

[15] こうした統計面での不確実性については第7章を参照されたい．

この点については，メニューコストの低下によって市場の価格メカニズムが強まるのであれば，金融政策の必要性自体も低下するため，この場合の金融政策の有効性低下はそれほど心配すべきことではない，と考えることも出来るかもしれない．また，価格の硬直性は労働契約等による名目賃金の硬直性に由来しているとの考え方も有力であり，狭義のメニューコストの低下だけをもって，金融政策の必要性や有効性が低下すると判断するのは早計とも考えられる．

第5章
# 金融取引・金融業の変化

1 情報技術革新の金融取引への影響
2 金融・資本市場の変化
3 金融仲介機関の業務の変化
4 銀行業・金融仲介業の将来展望
5 金融面の変化と金融政策

情報技術革新によって，金融商品やサービスはどのように変化し，それを担う金融・資本市場や銀行をはじめとする金融仲介機関はどのように変わろうとしているのであろうか．情報技術革新が進んだとしても，①決済サービスの提供，②リスク仲介（または負担），③情報生産（与信先の審査・モニタリング），④流動性供給といった金融に求められる本質的な機能に変化が生じるわけではないが[16]，金融商品・サービスの具体的内容やその担い手は，大きく変わり得ると考えられる．こうした変化は，金融政策の波及経路・効果を考える上でも大変重要なポイントである．

そこで，本章では，①情報技術革新が金融取引へどのような具体的な影響を及ぼしているか，②そのもとで，金融・資本市場はどのように変化してきているか，③また，金融仲介機関はどのように変化してきているか，④金融仲介機関，特に銀行業の将来はどのように展望されるか，⑤そうした変化によって金融政策の波及経路はどう変化するのか，の5点について，情報技術革新の先進国である米国の経験を踏まえながら検討する．

## 5.1 情報技術革新の金融取引への影響

現在の情報技術革新は，第3章で検討したように，「情報処理と通信の融合，そのもとでの情報処理・伝達の迅速化・コスト低下・広域化（グローバル化），普及スピードの驚異的な速さ」に特徴がある．そうした特徴を持つ情報技術革新は，金融取引の具体的な姿を大きく変えてきている．現在観察される変化は以下のように整理できよう．

**金融商品・サービスの高度化**

第1に，情報処理速度・コストパフォーマンスの驚異的な向上は，金融工学

---

16) この点については，Cecchetti [1999] を参照されたい．

の発達とも相俟って，これまで理論では確立されていたが計算時間が長くコストが大きすぎるために，実際の金融取引での利用が難しかった様々な技術を実用的なものとしてきている．また，例えば，固定金利での借り入れと同等の金融機能が，変動金利での借り入れと金利スワップの組み合わせで実現されることから明らかなように，これまで一体のものとして扱われてきた金融機能を分解（unbundle）したり，それを別の形に組み替えることを可能としている．その結果，そうした技術を駆使した新金融商品・サービスの提供が可能となってきている．例えば，デリバティブ取引（オプションや先物など）の近年における飛躍的な拡大，証券化の進展，第Ⅰ部で分析の対象とした電子マネーや電子決済技術の実用化はその好例と言えよう．また，顧客データ・ベースの整備は，顧客ごとにより肌理細かな金融サービスの提供を可能としてきている．

**デリバティブ商品の開発**　　オプションやスワップといったデリバティブ（金融派生）商品の開発にみられるように，情報技術革新による情報処理能力の向上によって，近年のファイナンス理論の成果を現実のものとする「手だて」を，銀行をはじめとした金融市場参加者に与えることになった点は極めて重要である．例えば，モンテカルロ法を使ったペイオフ関数の数値計算が安価なハード，ソフトで可能になり，複雑な金融商品が評価できるようになっている．デリバティブ取引は，特に1980年代以降，金利や為替レート変動への対応の必要性を背景に急速に拡大しており，BISによれば，世界におけるOTC（Over the Counter：店頭取引）ベースの想定元本総額は，2000年12月末現在95.2兆ドルに達している[17]．

**証券化**　　金融商品が，金融・資本市場で取引されるためには，一定の標準化が必要になる．最近の情報技術革新は，これまで複雑すぎて実務的な計算ができなかったリスクとリターンの提示，例えば，将来のキャッシュフローが，どの程度の確率で得られるかを的確に計算し，投資家に示すことを可能とすることにより，金融商品の証券化を実現してきている．また，リスクとリターン

---

17) この点については，BIS [2001] を参照されたい．

の特性が異なるいくつかの個別案件をプールすることにより，リスクとリターンの特性を変換し，市場取引に馴染む商品を組成する技術も発達してきている．この結果，金融商品の証券化が進展している[18]．例えば，米国におけるMBS（Mortgage Backed Securities：モーゲージ担保証券）の急成長やクレジットカード債権，自動車ローンの証券化はこうした好例と言えよう．

**電子マネー，その他電子決済手段**　電子決済技術の発達に伴って，世界各国で電子マネーやその他電子決済手段の開発・実用に向けた取組みが続けられている．わが国でも，デビットカードによる決済サービスが多くの金融機関により提供され始めている．

### リスク管理能力の向上

第2に，情報技術革新は，金融工学の発達と相俟って，資産運用者のリスク管理技術を飛躍的に向上させている．例えば，金融資産の価格変動リスクがVaR（Value at Risk）などの指標により計量化されるなど，ポートフォリオの持つリスクの計量化，ポートフォリオに影響を与えるリスクファクターの特定，それらのリスクファクター間の相関関係の把握が可能になっている．また，デリバティブの発達は，リスク負担を回避したい経済主体からリスクを負ってもよいと考えている経済主体へのリスク移転を容易にしている．この結果，投資信託やペンション・ファンド，ヘッジ・ファンド等の資金運用者は，ポートフォリオのリスクとリターンを最適化するようにその構成を変更することが可能になっている．こうしたリスク管理能力の向上は，需要面から新たな金融商品・サービス（第1の要因）を支えている．

### 金融サービスのデリバリー・チャネルの変化

第3に，情報技術革新のもとで，インターネットを代表とする新たなネットワーク・インフラが構築されつつあり，そうした新たなデリバリー・チャネル

---

[18] この点については，Crane et al. [1995] 第3章を参照されたい．

を使った金融サービスの提供が可能となってきている．わが国では，コンビニで公共料金の支払いができるなど，日本独自のデリバリー・チャネルの変化がすでにみられていたが，インターネットの発達・普及は，そうした変化を一段と大きなものにしている．従来，金融サービスは，銀行の支店といった物理的なサービス拠点の存在に大きく依存してきたため，金融サービス提供には地域的な制約が非常に大きなものとなっていた．しかしながら，通信コストの低下や情報処理技術の飛躍的な発展のもとで，最近わが国では銀行がコンビニとの提携などにより，自らの支店に依存しない形での銀行サービス提供に乗り出している．また，ATM網の整備・提携，インターネット・バンキング，インターネット・ファイナンスなどインターネット上での証券取引といったネットワークの利用により，物理的・地理的な制約を超えた金融サービスの提供も可能となっている．

**インターネット・バンキング**　銀行だけでなく他業種の参入も含め，インターネット・バンキングによる金融サービスの提供が活発化している．インターネット・バンキングは初期投資が比較的かかるために，ある程度の口座数（100万口座とも言われている）を超えないと平均費用が従来型の金融サービスの提供手段に比べて低下しない．しかし，その条件が満たされれば，預金の残高照会や口座間の資金移動といった銀行業務のコストを大幅に削減することが可能となる．例えば，米ブーズ・アレン＆ハミルトン社の調査では，1取引当たりの（平均可変）費用はインターネット・バンキングで1セント，支店の銀行員を使った場合には1ドル以上になると推計している（図5-1）．このように，インターネット・バンキングによって既存の銀行サービスをより低コストで供給することができるようになっている．このほか，インターネット・バンキングには新たなサービスの提供を可能にしている側面もあり，一部の米銀では，企業間の電子商取引に関し，決済サービスを行うだけでなく，インターネットを使って，取引される財の搬送状況に関する情報を企業に提供するといった動きがみられている．

**インターネットを使った証券取引の普及**　米国では，事業会社がインターネット

**図5-1 インターネット・バンキングの取引当たり費用**(ドル)
(米ブーズ・アレン&ハミルトン社による調査)

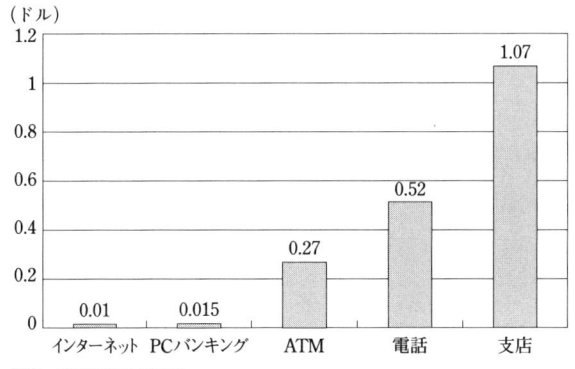

| チャネル | 費用(ドル) |
| --- | --- |
| インターネット | 0.01 |
| PCバンキング | 0.015 |
| ATM | 0.27 |
| 電話 | 0.52 |
| 支店 | 1.07 |

資料：米国商務省 [1999].

を通じて自社株式を個人投資家向けに直接発行したり（インターネット・ファイナンス），個人投資家同士がインターネット上で株式を直接売買できる取引システムが広範囲に利用されるなど，証券取引形態が従来とは大きく異なってきている．

　まず，インターネット・ファイナンスは，1996年に米国スプリング社（小規模な地ビール製造会社）がインターネット上での160万ドル規模の株式公募を行って以来，多くの企業がこの新たな資金調達手法を活用している．このインターネット・ファイナンスの手法は，上記スプリング社の例を使って説明すると，

①投資家はスプリング社のホームページにアクセスし，株式売付申込案内書（Offering Circular）をダウンロードする
②株式購入申込書をプリントアウトし，必要事項を記入，署名する
③購入申込書に購入代金相当分の小切手を添付して，スプリング社に郵送する
④スプリング社から株式券面を郵便で受領する

といった手順からなり，スプリング社は3500人余りの投資家から1人当たり500ドル程度の資金を集めることに成功した．

こうした動きに加え米国では，従来の店舗への訪問や電話での売買注文に代わって，インターネットを通じた証券会社への売買も急速に拡大している（インターネット・ブローキング）．元々はソフトウェア会社であった「Eトレード」が1996年2月にインターネット・ブローキングを開始したのが始まりであるが，その後ライバル会社が続々と参入したことから，現在ではオンライン取引手数料の「価格破壊」とも言うべき現象が生じている．

いずれにせよ，こうしたインターネットを使った証券取引は，個人投資家レベルにおいても証券取引にかかる取引コストを急速に引き下げる方向に作用している．わが国においても，この数年，インターネットを通じた個人投資家の証券取引が急速に拡大しており，今後の動向が注目される．

## 5.2 金融・資本市場の変化

以上のように，情報技術革新によって金融取引の内容はより高度で利便性の高いものへと大きく変化しつつある．こうした変化は，金融・資本市場の法制・税制，ディスクロージャーなどにおける市場インフラの整備と相俟って，金融・資本市場で取引される金融商品の対象範囲を広げている．また，情報処理・伝達の迅速化，低コスト化は，金融商品間での裁定取引の活発化を促している[19]．

### 証券化を通じた金融・資本市場の対象範囲拡大

前節でも述べたように，情報技術革新のもとで，証券化が進展してきており，金融・資本市場で取引される金融商品の対象範囲が拡大している．金融・資本

---

[19] 情報技術革新による情報処理・伝達スピードの飛躍的上昇により，様々な外的ショック（およびその情報）が瞬時に市場価格に反映されるようになっている．また，情報処理・伝達コストの劇的な低下やネットワークのグローバル化により，海外市場を利用した24時間取引も可能となってきている．こうした金融取引のグローバルな拡大によって，内外金融資産の代替性や内外金利差がどう変化するのかについては，第6章を参照されたい．

市場は，もはや信用力の高い一部企業が資金調達を行う場ではなく，多様な金融商品が取引される場となっている．米国では，ナスダックやジャンク債市場により，中小企業や格付けの低い企業でも資本市場を通じて活発に資金調達が行われている．一方，わが国では，これまで間接金融中心の金融システムが長く続いてきたこともあって，そうした変化は米国ほど顕著ではないが，様々なデリバティブ商品が開発され，その取引が大幅に拡大しているほか，銀行の不良債権処理に伴う貸出債権の証券化も進展している．

**裁定取引の活発化**

　情報技術革新による情報処理・伝達コストの大幅な低下は，電子ブローキングやインターネットを使った株式取引を可能にするとともに，金融・資本市場における裁定取引の活発化を促している．また，先物やオプション市場の発達や，資産運用者のリスク管理能力の向上も，裁定取引を活発化させる方向に働いている．もちろん裁定取引は従来から行われてきたが，近年の情報処理・通信コストの劇的な低下は，この動きを一段と活発化させる要因の1つとなっている．こうした裁定取引活発化の結果，市場価格の指標性や市場流動性の向上が促されている（しかし一方で，取引の活発化は，膨大な売買取引をどのように処理するのかによって，価格の乱高下を招くといった問題をもたらしかねず，取引量の拡大にあわせた市場インフラの整備も重要である．Appendix 8 では，こうした観点から，特に株式市場に焦点を当てた，市場のマイクロストラクチャーの問題点とその対応策に関する議論を紹介しているので，そちらも参照されたい）．

## 5.3　金融仲介機関の業務の変化

**金融取引および金融・資本市場の変化と金融仲介機関**

　前節でみたように，情報技術革新により金融・資本市場を通じた取引が拡大する中，金融仲介機関もその業務を大きく変化させてきている．

まず，金融・資本市場との役割分担という観点から金融仲介機関の存在意義を考えてみると，金融・資本市場は標準化された金融商品の取引に適している一方，金融仲介機関は，そうした標準化が難しいカスタマイズされた金融商品・サービスの提供に存在意義があると考えられる．第3章で検討したとおり，情報技術革新のもとでも情報の非対称性の問題が解消されないとすれば，そうした情報の非対称性を伴う金融取引には，事前に相手の信用度を審査するコストや契約締結後に相手先が契約を履行できそうかどうかをモニターするコスト，契約完了時にそれを確実に履行させるコストが生じると考えられる．このため，それを専門的に担う仲介機関の存在価値（情報生産機能）は引き続き大きいと考えられる．例えば，中小・零細企業向け貸出は，情報の非対称性に伴うエージェンシー・コストが大きいため，市場取引に適さない金融取引の典型であるが，銀行をはじめとする金融仲介機関は，クレジット・スコアリングといった情報技術革新による新手法を用いながら，そうした金融取引の効率化を進めている．

**クレジット・スコアリング**　銀行による中小・零細企業向け貸出の審査は，従来，多くの部分が各銀行の独自のノウ・ハウに基づき人の手によって行われてきた．しかし近年，クレジット・スコアリング・モデル（同モデルの概要については【Box 5】参照）という新たな手法を使って，財務諸表等の信用情報を基にデフォルト・リスクを計算し，実際の貸出を行うという動きがみられている．この結果，従来に比べ，貸出審査に要するコストが格段に低下している．

こうした新手法の開発もあって，中小銀行だけでなく大銀行でも，中小企業向け融資を積極化させる動きがみられている．特に，米国では，こうした動きが顕著であり，例えばサンフランシスコ地区では，銀行間の合併の影響を調整してみても，大銀行が融資額10万ドル未満の中小・零細企業向け貸出を大幅に増加させている（図5-2）．

一方，わが国では，これまでモデル開発のために必要なデータの収集・整理が行われてこなかったが，最近，中小・零細企業の財務データを収集する法人が設立された[20]ほか，こうして得られたデータを使ってモデルを新たに開発す

図 5-2 カリフォルニア地区の小口融資の伸び
（1995年6月～1996年6月）

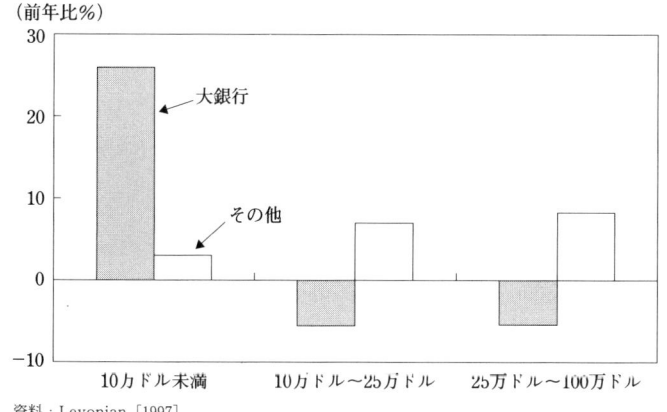

資料：Levonian [1997].

る動きがみられ始めている．

また，情報技術革新や金融工学の発達によって高度で複雑な仕組みの金融商品・サービスが提供されるようになってきているが，金融仲介機関は，そうした複雑な金融商品・サービスに関する情報を提供する機能や，それをわかり易い金融商品・サービスへ変換する機能を担っていると考えられる（Allen and Santomero [1998]）．理論的には様々なリスクを分解し，リスクを再配分できるようになれば，経済主体の厚生は高まることになる．しかし，消費者や企業がそういった金融商品の取引を行うために必要となる，金融商品の性質を正確に理解するコスト（「パーティシペーション・コスト（participation cost)[21]」）はむしろ高まっている．このパーティシペーション・コストは，各経済主体が金融商品を自らの頭で理解するために必要となる内的なコストであり，手数料といった自分以外の経済主体と取引するためにかかる対外的なコストとは性格を異にするものである．このパーティシペーション・コストを低下

---

20) 2000年4月にシステム・コンサルティング会社が中心となって，日本リスク・データバンク株式会社が設立された．
21) パーティシペーション・コストはAllen and Santomero [1998] が提唱した概念である．

させる枠組みがなければ，消費者や企業は，情報技術革新による金融商品・サービス高度化のメリットを十分に享受することができない．

アレンとサントメロは，情報技術革新によるパーティシペーション・コスト上昇の証左として，①急拡大を続けているデリバティブ市場の参加者はほとんどが金融機関であり，家計や企業といった最終需要者の姿はあまりみられないこと，②趨勢的に株式売買手数料が低下しているが，個人が直接保有する株式は減少している一方，ミューチュアル・ファンドやペンション・ファンドを通じた間接的な株式保有が急増していることを挙げている．そのうえで，彼らは，金融機関の本質は，こうしたパーティシペーション・コストを引き下げることにあると論じている[22]．

銀行のこうした面への対応は，例えば，デリバティブを用いた新金融商品の提供に対する積極的取組みや，それに伴うオフバランス取引の急激な拡大にみてとれる．

**オフバランス取引の拡大**　　米国の銀行は，伝統的業務（要求払預金を中心とした預金で資金を調達し，借り手に貸出で資金を供給）に代えて，デリバティブや貸出債権の証券化を通じたサービサー業務（貸付や回収の代行）をはじめ，収益性の高いオフバランス業務を積極化させてきている．わが国では，依然として銀行預金に対する需要が根強いこと等を反映して，米国に比べ伝統的銀行業務の比率が高いものの，少しずつ変化が現れている．こうしたオフバランス業務の拡大は，銀行が自ら負うリスクをコントロールしながら，収益の増大を図ってきている結果と考えられる．また，銀行が，情報技術革新により高度化・複雑化した金融技術を分かり易い形で積極的に消費者や企業に提供している現れ（パーティシペーション・コストへの対応），とみることもできよう．

---

[22] 金融機関がパーティシペーション・コストの低下に寄与するためには，金融機関が第4章で検討した「信頼できる仲介業」である必要があることは，言うまでもない．

## 【Box 5】クレジット・スコアリング・モデルの概要

「クレジット・スコアリング」とは，融資対象となる個人や企業の信用度合いを表わす属性を，財務内容等のデータを基に統計的手法を使って点数化し，その合計スコアを融資判断の基準とする手法である．実際の運営では，カットオフ・スコアと呼ばれる貸出可否基準を設け，そのスコアを上回る案件について貸出を実行する．本手法は，従来からクレジットカード・ローンといった消費者金融に用いられてきたが，情報技術革新によってコンピューターの処理能力が飛躍的に向上し，データベースの構築も容易になったことから，最近では，中小・零細企業向け融資にも広く使われるようになっている．

具体的なクレジット・スコアリング・モデルの構築のプロセスは，①貸出審査に有効な属性情報の選択，②それらの属性情報ごとの「階層」の設定，③各階層へのスコアの割り当て，の3段階からなり，それらのステップを最適化手法によって行う（以下の表は同モデルの一例を示す）．

属性：流動比率

| 階　　層 | スコア |
|---|---|
| 100% 以上 | 30 |
| 50% 以上 100% 未満 | 20 |
| 25% 以上 50% 未満 | 10 |
| 25% 未満 | 5 |

属性：現預金/総資産

| 階　　層 | スコア |
|---|---|
| 10.0% | 50 |
| 5.0% 以上 10% 未満 | 35 |
| 2.5% 以上 5.0% 未満 | 20 |
| 2.5% 未満 | 10 |

なお，実際のクレジット・スコアリング・モデルに採用されている属性情報としては，①企業の財務指標等の情報（税引前利益総資産比率，流動比率の業界水準値との乖離など），②代表取締役個人の情報（年収，ネット資産など），③データ提供会社の提供する企業信用情報（重要ブラック情報，支払遅延日数など），④データ提供会社の提供する個人信用情報（過去6ヵ月の照会件数など）が一般的である．

## 5.4 銀行業・金融仲介業の将来展望

　前節では，情報技術革新のもとで銀行を代表とする金融仲介機関がその業務内容を変化させつつあること，情報の非対称性やパーティシペーション・コストの存在により金融仲介機関の存在意義は残ると考えられることをみたが，情報技術革新の進展は，今後，金融仲介業の組織形態（institutional な面）にどのような影響を及ぼしていく可能性があるのであろうか．本節では，この点についていくつかの可能性を指摘したい．

**金融仲介機関の集中化**

　第 1 は，情報技術革新が，金融取引の一部において「規模の経済」を高める方向に働く可能性があるため，金融機関の合併・提携が活発化し，金融仲介機関の集中化が進むのではないか，というものである．実際，1980 年代後半以降，世界的に銀行合併や銀行間の提携が増加しており，最近ではわが国においても大銀行同士の合併によるメガバンク化が進行している．こうしたメガバンク化の背景の 1 つとして，情報技術革新による規模の経済性が指摘されている（情報技術革新と規模の経済性に関する概念整理については，Appendix 9 を参照されたい）．

　ただ，情報技術革新によりそうした規模の経済性が高まるとしても，その影響が強く現れるのは，様々な金融仲介業務のすべての分野ではなく，決済サービスなど一部業務分野に止まる可能性がある（この点については【Box 6】参照）．情報技術革新による規模の経済性は銀行の業務分野ごとに異なっていると考えられるため，特にわが国のように，いわゆる「品揃え」を重視し，あらゆる銀行業務を行っている従来型の銀行が，そのまま規模を拡大する必要性はないであろう．また，近年の銀行合併は，①米国での州際業務規制緩和や EU 統合による市場の地理的な拡大への対応，②グローバル化の進展のもとでのプレゼンス確保，③合併によるより効率的なリスク分散の実現，④異業種からの参入による競争激化を背景とした既存業務の収益性低下への対応といった，様

々な要因が絡み合って起こっていると考えられる[23]．

---

**【Box 6】情報技術革新と銀行の規模の経済**

　情報技術革新は，従来人の手によって行われていた業務を，コンピューターを使ったシステムに置き換えることにより，格段のコスト低下をもたらすと考えられる．このため，近年，銀行は，多額のIT関連投資を実施している．では，こうしたIT関連投資は，実際のデータからみて，銀行に規模の経済によるコスト低下のメリットをもたらしていると言えるのであろうか．

　この点について，まず，銀行の個別業務に関する規模の経済として，多くの研究が蓄積されている決済サービスについての議論をみた上で，銀行業務全体での規模の経済に関する最新の実証分析を紹介する（内田・大谷・川本［2000］）．

**決済サービスにおける規模の経済**

　決済サービスの提供には，データ処理のためのバックオフィス業務が必要である．こうしたバックオフィス業務のコストとしては，人件費，データ処理のためのコスト，データ処理を行うオフィスやサイト間での通信にかかるコストが大部分を占めている．したがって，情報技術革新によって，サイト間の情報伝達にかかるコストが低下し，データ処理能力の拡大による規模の経済が顕現化していれば，複数のサイトを統合し，複数の銀行の決済サービスを統合することがメリットをもたらすとみられる．

　FRB（Federal Reserve Board；米国連邦準備制度理事会）を中心に，決済サービスの規模の経済性について実証分析が行われている．具体的に分析の対象となったのは，①チェック・プロセス：小切手を介在する決済に関する銀行間での決済，②ACH（Automated Clearing House）サービス：クレジットカードやデビットカードによる取引に関する銀行間での電子的な資金決済，③Fedwireサービス：フェデラル・ファンド取引等の資金振替取引や米国債・政府機関債の取引にかかる資金振替を対象としたオンライン決済，である．

　まず，上の3つの決済サービスのうち，紙ベースの処理が中心で，最も情報技術革新の影響を受けにくいと考えられるチェック・プロセスについては，Bauer

---

[23] その他，too-big-to-fail政策（破綻に伴う社会的コストが大きい巨大銀行を救済する政策）のもとでの規模拡大へのインセンティブ，銀行経営者の私的利益拡大も指摘されている．

and Ferrier［1996］が，規模拡大のメリットはないとの結果を示している．一方，電子的な処理が行われているACHサービス，Fedwireサービスについてみると，まずACHについては，同じくBauer and Ferrier［1996］が，総費用の処理件数に関する弾性値は0.5，すなわち1％の処理件数の増加は，約0.5％のコスト増しかもたらさないとの結果を得ている．また，Fedwireについても，Hancock, Humphrey, and Wilcox［1999］が，総費用の処理件数に関する弾性値を0.5と計測している．

以上のように，コンピューターの処理に依存した決済プロセス（ACH, Fedwire）では，規模の経済が実証的に確認されている．このため，決済プロセス全体でも，昨今の情報技術革新によって規模の経済が働く程度が高まっている可能性が高いとみられる．

**銀行業務全体での規模の経済**

銀行業務には，例えば大口の貸出案件に関する審査やモニタリング，債権回収といった業務のように技術革新の恩恵を受けにくい分野がある一方，技術革新によって規模の経済のメリットに浴する分野もある（例えば決済サービス）．こうした中で，銀行業務全体の最適規模はどのように変化しているのであろうか．

1980年代後半から1990年代初めに行われた（1980年代のデータを使用した）初期の研究では，銀行の総資産に対する平均可変費用関数は，比較的緩やかなU字型となることが示されていた．また，平均可変費用が最小となる規模は，総資産1億～100億ドルの中小規模行であり，それよりも規模が大きくなれば平均可変費用が上昇する（規模の不経済）とのコンセンサスが得られていた．

これに対し，Berger and Mester［1997］は，1990～95年のデータを使用し，総資産100億～250億ドルが，銀行の平均可変費用を最小にする規模であると計測している．このことは，1990年代以降，規模の経済の高まりを映じて，銀行の最適規模が拡大していることを示唆している．

**金融仲介機関の分散化**

第2は，情報技術革新により，金融仲介業への参入障壁が低下する可能性があるということである．情報技術革新により，①銀行の特殊性（情報生産の優位性や流動性の効率的な供給能力）が低下する可能性があるほか（この点につ

いては【Box 7】参照），②新たな金融商品・サービスの提供や既存の金融機能の分解（unbundle）が可能となり，それぞれの機能を別々に担う（一分野に特化する）ことが可能となっている．また，③インターネットをはじめとする新たなネットワーク・インフラが整備されてきている結果，支店の有無といった地域的な制約が大きく軽減される可能性が高い．これらの要因は，いずれも金融仲介業に対する新規参入を容易にするとともに，様々な金融仲介機関による金融機能の分散化（個別金融仲介機関からみると特定業務への特化やそれ以外の業務のアウトソーシング）を促す方向に働くものと考えられる．実際，米国では，クレジット・スコアリングを使って，金融機関に代わり貸出審査を専門的に行う一般企業が，情報産業によってインターネット上に設立されているが，これは分散化の典型例と考えられよう．なお，金融サービスに「範囲の経済」がある場合には，いくつかの業務を同じ機関が行う方がコスト削減等のメリットに繋がる．しかし，金融サービス，例えば，貸出とCP引受，オフバランス取引に範囲の経済があるかどうかに関する実証研究では，範囲の経済性の存在を肯定する結果と否定する結果がみられており，今のところ確たるコンセンサスが得られていないのが実状である．一方，わが国でも流通業やIT関連産業が，インターネット等を用いて銀行業へ参入する動きがみられている．こうした状況を踏まえ，行政サイドでも，2000年8月3日に，金融再生委員会と金融庁が「異業種による銀行業参入等新たな形態の銀行業に対する免許審査・監督上の対応（運用上の指針）」を発表し，異業種参入に向けての環境整備が行われつつある．

### 【Box 7】銀行の特殊性の変化

銀行は，決済サービスの提供と金融仲介を併営することにより，効率的に情報を生産し，流動性を供給できるという点に特殊性があると言われている．

ここでは，まず銀行の特殊性とは何かを整理したうえで，情報技術革新によって，こうした特殊性がどのように変化するのかを検討する（内田・大谷・川本

[2000]).

**銀行の特殊性とは何か？**

**①情報生産**　中小・零細企業のように財務諸表の信頼性が低く，情報の非対称性の問題が大きい企業の場合には，貸出に際してより慎重なリスク審査やより頻繁なモニタリングが必要になる．この点，銀行は企業に決済サービスを提供しているため，キャッシュフローの変動をモニターすることを通じ，企業行動をより正確に把握できる．このため，銀行は，中小・零細企業向け貸出に代表されるような，エージェンシー・コストの高い資金仲介において，比較優位を持っていると考えられてきた．

**②流動性供給**　一般に，預金者が流動性を必要とするタイミングに不確実性があるとしても，預金者の数が多くなればなるほど，ある特定の時期に実際に払い戻しを求めてくる預金者の比率は安定的となると考えられる．このため，銀行は預金の一部だけ支払準備として保有していればよいことになり，銀行は預金という流動性を提供しつつ，固定的な資産の取得＝貸出を行うことができると言われている．

さらに，銀行は負債サイドで預金という形で流動性を供給しているだけでなく，資産サイドでもクレジット・ラインという形で流動性を供給している．これは，どちらの形の流動性供給にもかかる，支払準備の保有というコストを，両者を同時に行うことによって減らすことができるという，預貸業務の相乗効果が存在するためだと考えられている．

**情報技術革新による特殊性の変化**

**①銀行の情報生産に関する優位性の低下**　情報技術革新の結果，銀行以外でも，クレジット・スコアリングによって決済口座の情報を使わずに企業の審査が行えるようになっている．特に同手法の先進国である米国では，インターネット上で，同手法を使って貸出の適否を銀行に代わって審査する業者も登場している．また，企業のキャッシュフロー以外にも，企業行動をより正確に把握する手段は存在し得る．例えば，日向野［1999］は，企業が購入した原材料や機械設備，あるいは商品の販売といった物流のデータはキャッシュフローと同等の価値を持ち，こうした情報を入手できる企業は情報生産が可能になると主張している．

このように，情報技術革新のもとで，銀行の情報生産（審査，モニタリング）に関する優位性は低下する可能性があると考えられる．

**②情報技術革新と流動性供給**　情報技術革新が銀行の流動性供給に与える影

響については，十分な結論が得られていないのが実状である．情報技術革新による直接金融の増加，特に CP といった短期の流動性の高い金融資産の増加のもとでは，銀行預金だけではなく，MMF のように，信用が高く，短期の流動性の高い資産も，経済の流動性に対する需要を何がしか満たすと考えられる．このため，一部には，MMF の供給機関が流動性供給の主役になる可能性がある，との主張がみられる（Gorton and Pennacchi [1990]）．しかし，こうした主張に対しては，例えば預金保険制度によって銀行預金に対する信用度が高まれば，個人や企業が流動性として銀行預金を選好する可能性があるため，MMF が流動性供給に関して主流な地位を占めるかどうかは予測し難いとの反論もみられる（Kashyap and Stein [1994]）．もっとも，情報技術革新が預貸業務の相乗効果に与える影響については，これまでほとんど分析されていない．

　以上のように，情報技術革新は，少なくとも銀行の情報生産に関する優位性を低下させる可能性があると考えられる．

**金融仲介業の将来展望**

　こうした金融仲介業の集中化（メガバンク化）と分散化（機能分化，異業種参入）の動きが今後どのような形で進行するか，現時点では必ずしも明らかではない．ただ，情報技術革新により銀行の特殊性が低下する可能性があることなどを踏まえれば，現在の金融仲介機関が将来も金融業を担い続けるとは限らず，将来は他の産業も情報技術革新の成果を用いて金融仲介機能を担うようになる可能性が高いとみるべきであろう．また，前述のとおり，情報技術革新による規模の経済性が強く現れるのが決済業務など一部分野に止まるとすれば，そうした業務分野で集中化が進む一方で，その他の分野では分散化が進み，集中化と分散化の 2 つの動きが同時進行することも十分に考えられる．そうした可能性も含め，金融仲介業，およびその分業体制の姿が今後大きく変貌する可能性がある点には十分に留意する必要があろう（この点については【Box 8】参照）．

## 【Box 8】情報技術革新の下での金融機関経営の変化

　情報技術革新のもとで，金融機関の組織形態はどのように変化するのであろうか．池尾［2000］は，第3章でみた情報量の増大を，「より詳細な情報がより頻繁に更新されること」と捉え，それらの面から金融機関の組織形態がどのように変化するのかを検討している．以下では，その要旨を紹介したい．

### 情報の「詳細化」の影響

　情報の「詳細化」は，金融機関に従来区別できなかった個々の顧客間の違いを認識させることとなる．このため，金融機関はこうした顧客の違いに応じてより肌理の細かな対応をすることが可能になる．逆に，顧客自身がこうした違いを自覚するようになれば，金融機関は，従来のような画一的な対応が許されなくなる．たとえば，保険契約において，リスクの高い人とリスクの低い人が同じ保険料を払っている場合，後者から前者への所得移転が起こっていることになるが，後者がこの事実を自覚するようになると，このような保険料設定は維持できなくなる．

　しかし，金融機関が顧客の特性に応じて異なる対応を行う場合には，それぞれの顧客に個別に対応している部門間での利害対立が生じ得るため，すべての業務を単一の組織で行うと，組織全体として最適な決定を行うことができないリスクがある．したがって，それぞれの顧客セグメントに対応する組織は，できるだけ単機能的な存在にし，各々の独立性を高めることが有益となる．

　反面，個々の組織をそのように小さく独立的にすると，今度は「規模の経済」に伴うメリットを失うかもしれない．この点については，金融関連業務のすべてにわたって規模の経済が働くわけではないことに注意する必要がある．たとえば，処理システム構築に大きな固定費のかかるバックオフィス業務には，規模の経済が働き易いと考えられるが，営業など，顧客とのインターフェース部分に関わる業務には，強い規模の経済が働くとは考えられない．

　こうした事情から，業務ごとに，それを担う組織を小型化した方が効率的なものと，逆に大型化した方が効率的なものとがあると考えられる．それゆえ，金融機関の組織の中で，「分散」と「集中」が同時に起こる可能性があると考えられる．

### 情報の「頻繁化」の影響

　情報の「頻繁化」のもとでは，金融機関は，その行動や選択を従来よりはるか

に短い間隔で変更しなければならないため，意思決定の迅速化と，それを短時間で実施するために必要な経営資源の組換えの容易化を図ることが必要になる．

集権的意思決定方式（階層的ピラミッド構造）は，必要な情報すべてが正確に伝達され，トップの情報処理能力が高ければ，部門間の相互調整の面で高いパフォーマンスを期待できる．しかし，大規模な組織では，部門間の利益相反等によって，正確な情報が伝達されない可能性があるほか，トップの情報処理能力にも生理的な限界がある．また，分権的意思決定方式（権限委譲）は，個々の単位組織における情報伝達と情報処理で優れているが，部門相互間の調整面でのパフォーマンスが低い．

両方式におけるこれらの問題点は，情報技術革新によって組織内部での情報伝達が容易になっても，解決される類のものではない．したがって，意思決定の迅速化と経営資源の組換えの容易化のためには，集権的方式と分権的方式の両方のメリットを取り込んだ「カプセル化」を軸とした組織編成が必要となる．すなわち，個々の単位組織を，他の組織との相互依存関係があまり高くなく，自律性が比較的大きなもの（カプセル）になるように編成する．そのうえで，各々のカプセルが担うべき役割・機能に関連する意思決定は，当該カプセルに権限を委譲する一方，カプセル間の相互調整に関する意思決定は，持ち株会社のようなセンター的な組織が集権的に行うこととすれば，意思決定の迅速化を図ることができると考えられる．また，このように個々の単位組織がカプセル化されていれば，それらを結合したり分離したりすることも容易であり，経営資源の組換えが行いやすくなる．

## 5.5 金融面の変化と金融政策

以下では，これまでみてきた金融面の変化（金融取引，金融・資本市場，金融仲介業の変化）について，金融政策の波及経路の観点から検討を加えてみる．なお，金融政策の波及経路の概要については，Appendix 10 で簡単な整理を行っているため，興味のある読者は Appendix 10 を参照されたい．

**金融・資本市場の変化の影響**

①金利ルート　　第2節でみたように，情報処理・伝達コストの劇的な低下や，

デリバティブの発達による資産運用者のリスク管理能力の向上によって，国内金融・資本市場では，様々な期間構造を持つ金融資産間での裁定取引が活発化してきている．この結果，金利の変化の波及スピードは高まってきていると考えられる．

例えば，Fernald, Keane, and Mosser [1994] は，モーゲージ担保証券を例に証券化が金融政策の波及経路に与えた影響を論じている．通常，モーゲージ担保証券は，ほぼ期間が同じ国債と裁定取引が行われており，金融引締めによってモーゲージの返済ペースが低下し，モーゲージ担保証券金利が上昇すると，裁定取引を通じて，国債の長期金利も一段と上昇することになる．彼らは，モーゲージ担保証券の取引量拡大と国債との裁定取引増加によって，従来に比べ，長期金利の短期金利に対する反応が大きくなったことを示している．この分析結果は，情報技術革新による裁定取引の活発化が，金利の変化の波及スピードを高め，金利ルートが一層有効になる可能性を示している．

ただし，デリバティブをはじめとする金融技術の発達によるリスク管理能力の高まりは，外生的ショックそのものを軽減することはないとしても，経済内のリスク負担の適切な分散を通じて，金利の変化が経済主体の支出行動に与える影響を従来に比べ低下させる可能性も考えられる（BIS [1994]）ため，さらなる検証が必要であろう．

②アベイラビリティ・ルート　金融政策の波及経路としては，金利ルートの他に，企業が銀行から調達できる資金の量を通じた経路（アベイラビリティ・ルート）がある．この経路は，金融・資本市場で取引される債券と，銀行からの借入が完全には代替的ではない（異なる資産/負債である）ために，銀行からの資金調達額が減少したときにそれを金融・資本市場での調達によって埋め合わせることができない側面を捉えている．こうした不完全代替性を前提とすることにより，はじめて，銀行借入の需要・供給関数のシフトはマネーサプライの変化とは独立に，実質GDPと利子率に影響を与えることになる．

情報技術革新により証券化が進展し，金融・資本市場取引が拡大すれば，企業にとって銀行借入以外の資金調達手段は拡大する（銀行借入と債券の代替性

が上昇する）ため，アベイラビリティ・ルートの有効性は低下するとみられる．

この点に関係する実証分析としては，Becketti and Morris ［1992］がある．彼らは，情報技術革新の進展によって，銀行借入が CP をはじめとした債券との代替性を近年強めているとすれば，貸出需要曲線は従来に比べ金利弾力的となる，つまりフラット化が進み，貸出供給曲線のシフトがもたらす貸出量の変化幅は大きくなるのではないかと考えた．彼らはこうした推論に基づき，戦後米国において貸出需要曲線のフラット化が実際に観察されるかどうかを検証した．その結果は，恒久的にフェデラル・ファンド金利が 1% 上昇（＝貸出供給曲線の上方シフト）したときの貸出量の低下幅は，1980 年代初めには 70 年代中頃の約 2 倍となっているというものであった．彼らはこの推計結果から，貸出需要曲線は金融技術革新が急速に進んだ 1980 年代初め以降，フラット化が進行したとしている．こうした実証結果は，金融技術革新が進展するにつれて銀行借入と債券の代替性が強まり，アベイラビリティ・ルートの重要性が低下するとの見方と整合的である．

また，もう 1 点指摘すべき重要な点として，デリバティブが信用割当[24]に及ぼす影響がある．従来から，銀行貸出市場では，貸し手が借り手の信用度を完全には把握できないという情報の非対称性の存在によって，信用割当が発生し，需給が金利によってクリアされないと言われてきた[25]．なぜなら，金融引締めによって金利が上昇した場合，高い金利で借入を行おうとする企業ほど信用リスクが高い可能性があるために（逆選択），銀行は貸出からリスクの小さな債券に資産をシフトさせる結果，いくつかの企業は銀行から借入ができなくなるためである．しかしながら，例えば，企業が市場から資金調達を行う際に，発行する有価証券にデリバティブを組み合わせれば，当該企業の情報を増加させることになる．また，貸し手が特定の種類のリスクを抽出，ヘッジするためにデリバティブを用いるようになると，貸出増加に伴うリスクを縮小させること

---

24) 貸出市場に信用割当が存在する場合，アベイラビリティ・ルートの重要性が強まることは確かであるが，信用割当の存在がアベイラビリティ・ルートが存在するための必要条件でない点には注意する必要がある．

25) この点については，Stiglitz and Weiss ［1981］を参照されたい．

ができるため，貸出市場における信用割当の可能性は低下すると予想される（BIS［1994］）．こうしたデリバティブの活用による信用割当の減少を通じても，アベイラビリティ・ルートを通じた金融政策の有効性が低下する可能性がある．

**金融仲介業の変化の影響**

　金融仲介業の変化が金融政策に与える影響としては，まず，これまでみてきた金融仲介機関の集中化と分散化によって，金融政策の波及経路がどう変化するのかといった論点が考えられる．また，情報技術革新により金融仲介機関のモニタリング技術が向上すれば，それが金融政策の波及効果へ及ぼす影響も論点となろう．そこで，以下では，これら2つの論点について考えてみたい．

　①**金融仲介業の集中化と分散化の影響**　金融仲介業の集中化と分散化，具体的には，メガバンク化や異業種参入が金利ルートへ及ぼす影響を考えると，メガバンク化によって市場の寡占化が進み，貸出金利形成に弊害が生じるのか，それとも，異業種の新規参入が増加する結果競争圧力が強まり，それとは逆の方向に向かうのかがポイントとなる．なお，金融仲介業の変化は需要サイドにも影響を及ぼすかもしれないが，以下では，需要サイドは一定であると仮定して議論を進める．

　最もオーソドックスな経済学のミクロ理論に従うと，市場の寡占化が進めば，金利競争圧力が弱まり，利鞘が拡大すると予想される．このことは，政策金利の変更に対して，貸出金利の反応速度や反応の程度が低下する懸念があることを示唆している．また，ある金融資産市場における特定の銀行のシェアが拡大すれば，裁定取引が阻害され，金利裁定が上手く働かないことも考えられる．一方，新規参入により競争圧力が強まる場合には，政策金利に対する反応は逆に強まる可能性が考えられる．

　では，寡占化と競争圧力の強まりのどちらの蓋然性が高いのであろうか．銀行合併が進んだ諸外国の実状をみると，銀行合併は利鞘の拡大をもたらしているとの結論は得られていない[26]．また，一部には，銀行合併が増加する中，短

期市場金利の変化が貸出金利に波及する効果は増大している,との実証結果もみられる.これまでのところ,寡占化による金利ルートの有効性低下は観察されていない.なぜ,銀行合併による利鞘の拡大といった結果が得られていないのかについては,未だ確たるコンセンサスは得られていないが,その一因としては,米国の州際業務規制の緩和やEU統合,さらにグローバル化の進展による,国際的な市場の拡大と競争激化が考えられよう.

わが国では,現在,情報産業等による銀行業への新規参入が始まったばかりであり,今後異業種の参入が増加する可能性を考えると,競争圧力はこれから高まっていくとも考えられる.その場合には,競争圧力の高まりとともに,金利ルートの有効性は強まる可能性を考えておくべきであろう.ただ,競争的圧力が高まる過程では,短期金利と貸出・預金金利との関係が不安定化し,ひいては金融政策の最終需要への波及効果も不安定化する可能性があるため,政策運営が難しくなるかもしれないことには注意が必要である.

②モニタリング技術向上の影響 金融機関による企業向け貸出の量は,当該企業の正味資産にも依存する.すなわち,企業の正味資産が大きければ,担保価値も大きいことなどから,金融機関は貸出を増加(逆の場合には減少)させ易い[27].金融政策は,企業の正味資産への影響を通じて間接的に貸出に影響を及ぼすが,これはバランスシート・チャネルと呼ばれる.こうしたバランスシート・チャネルを通じた効果の大きさは,金融機関のモニタリング能力にも依存している.すなわち,モニタリング能力が低ければ,金融機関は企業の実態がよく分からないために,担保価値の大きさが貸出の意思決定を大きく左右するかもしれない.しかし,金融機関が借り手の属する業種等の情報を収集し,その専門的な知識を高度化させるとともに,情報技術革新を利用してより効率的

---

26) この点については,例えば,Braun et al.[1999]を参照されたい.
27) こうしたメカニズムの裏側には,情報の非対称性に伴うモラルハザード問題がある.すなわち,有限責任を前提とすれば,企業の正味資産が小さい場合には,当該企業のオーナーはプロジェクトが失敗に終わったとしても,失うものは小さい.この場合には,よりリスクの高いプロジェクトに投資するインセンティブが高くなり,モラルハザード問題が悪化する.このため,金融機関は当該企業向け貸出を抑制することになる.この点については,例えば,Bernanke and Gertler[1995]を参照されたい.

なモニタリングを行うことができれば，企業のエージェンシー・コストは低下し，担保価値の大きさに左右される度合いは減じるかもしれない．このため，情報技術革新は，バランスシート・チャネルを通じた金融政策の影響力を低下させる方向に働く可能性があることに留意しておく必要があろう．

# 第6章
# グローバル化の進展

1 クロスボーダーの電子商取引の増加
2 電子商取引の拡大による貿易の拡大
3 国際的な金融取引の進展
4 グローバル化と金融政策

インターネットは，地理的・時間的な制約を軽減する性質を持つため，「国境」という概念を希薄化し，クロスボーダーでの電子商取引を活発化させる可能性が高い．このため，これまで拡大傾向を辿ってきた貿易量が一段と拡大する可能性がある．また，金融面でも，内外金融資産の代替性を高めるとともに，「ドル化（dollarization）」などの通貨代替を促す可能性が考えられよう（世界におけるドル化の動きやその背景については，Appendix 11 を参照されたい）．

そこで，本章では，インターネットの普及によるグローバル化の進展について，貿易取引・金融取引の両面から検討を行ったうえで，それらの金融政策への影響を考察する．

なお，グローバリゼーションの定義については，未だ確たるものは存在していないが，以下では，グローバリゼーションを「国境」というハードルが従来に比べ低下し，財取引や金融取引等に関して，「各国の市場が一体となって1つの市場を形成する」（翁・白川・白塚［1999］）状態と定義する（なお，ボーダーレス化とはグローバリゼーションが一段と進展し，国境の存在自体が無意味になった状況を指す）．

## 6.1 クロスボーダーの電子商取引の増加

電子商取引を通じた対外取引の動向をみると，B to C 取引については，統計が存在しないため，全体像を把握することは困難であるが，OECD［1998］によれば，米国のソフトウェア輸出のうちインターネットを通じた海外での売上げは全体の 6% 程度である．また，最も活発に電子商取引を行っている企業において，総売上げに占めるインターネットを通じた対外取引からの売上げの比率は約3分の1となっている（表6-1）．電子商取引を行っている企業のすべてが対外取引を行っているとは限らないため，クロスボーダーでの B to C 取引額は，今のところは比較的少ないとみるべきであろう．

また，B to B 取引については，一部の企業がインターネットを使って海外

表 6-1　1997 年における e-commerce 企業の海外での売上げ

| 会社名 | 業種 | 総売上げに占めるネット上での売上げ(%) | 総売上げに占める海外からの売上げ(%) |
| --- | --- | --- | --- |
| CDnow | 音楽 | 100 | 35 |
| Music Boulevard | 音楽 | 100 | 33 |
| Amazon | 書籍 | 100 | 26 |
| Barns & Nobel | 書籍 | 0.50 | 30 |
| FastParts | 電子部品 | 100 | 30 |
| Virtual Dreams | ポルノ | 100 | 25 |
| Dell | コンピューター | 約 50 | 20 |
| 1-800-Flowers | 花 | 10 | 15-20 |
| Sabre | 旅行 | 67.30 | 17.50 |
| E*Trade | 株式取次 | 63 | 2.80 |

資料：OECD [1999].

から部品調達を行う動きがみられるものの，ほとんどの企業のインターネットを通じた部品調達は，今のところ系列企業をはじめとする国内企業からの調達になっている．さらに，企業間取引のための電子市場でも国内取引が中心とみられる．全体として，B to B 取引は大半が国内取引と考えられる．

このように電子商取引を通じたクロスボーダー取引があまり進展していない背景としては，レモン問題といった電子商取引の安全性に対する懸念，従来の貿易と同じく，自国財へのホームバイアス（「国境」要因）が考えられる（自国財に対するホームバイアスの実証分析については，Appendix 12 を参照）．

こうしたホームバイアスの背景としては，①為替レート変動，②地縁・血縁，家族・輸送・通信によって結びつけられた教育・文化・政治・社会・感情的な結びつき，③税制，系列取引の有無といった経済システム・制度の要因，④対外取引の方が国内取引よりも不確実性が高く，エージェンシー問題が発生する可能性が高いこと，さらに⑤自国に比べ外国の方がサーチ・コストは高いといった要因によって市場が分断されていること，などが考えられる．

これらの要因のうち，為替レート変動や地縁・血縁の結びつきは情報技術革新によっても変化しないものの，インターネットの発達は外国製品に対するサーチ・コストを大きく低下させる．また，インターネット上での電子市場の登場によって，第 4 章でみたように，国内での系列取引等の取引形態に影響が及

表 6-2 インターネットの配送コストへの影響

(1取引当たり手数料,米ドル)

| | 航空チケット | 銀行サービス | 公共料金等の支払 | 生命保険 | ソフトウェア |
|---|---|---|---|---|---|
| 伝統的手法 | 8.0 | 1.08 | 2.22-3.32 | 400-700 | 15.00 |
| 電話の利用 | | 0.54 | | | 5.00 |
| インターネット利用 | 1.00 | 0.13 | 0.65-1.10 | 200-350 | 0.20-0.50 |
| インターネットによる節約(%) | 87 | 89 | 71-67 | 50 | 97-99 |

資料:OECD[1999].

ぶ可能性もある.さらに,インターネットはデジタル化が可能な財・サービス=デジタル財(例えばソフトウェア・音楽)の配送コストを劇的に低下させ(表6-2),遠く離れた場所でも低コストでのデジタル財の受け渡しが可能になっている.

したがって,自国財へのホームバイアスは,インターネットの普及によって完全に解消される,すなわち,完全なボーダーレス・エコノミーが出現するとは考えられないものの,低下する方向にあるとみられる.

それに加え,米国やOECD等国際機関は,電子商取引の安全性確保や税制をはじめとする経済制度,法制面の整備・国際的な平準化の観点から,クロスボーダーの電子商取引拡大のための様々な対応策を提案している.例えば,米国政府は1997年7月に「世界的な電子商取引のフレームワーク(Framework for Global Electronic Commerce)」と題するレポートを発表し,電子商取引発展のための政府の役割に関する提案を行った.また,OECDは,1997年に「電子商取引:政府の機会と挑戦(Electronic Commerce Opportunities and Challenges for Government)」とのレポートを発表し,電子商取引発展のための政府の対応策を提唱した.こうした取組みも,クロスボーダーの電子商取引を増加させ,ホームバイアスを緩和させる方向に働くと考えられる.

これらの要因を勘案すると,クロスボーダーの電子商取引は,今後増加する蓋然性が高いと言えそうである[28].

---

28) この点については,クローズド・インテグレート型の生産方式による財から,オープン・モジュラー型の生産方式によって製造される財への比重のシフトが起こって初めてインターネット上でのB to B取引が増加するのではないかとの見方も可能であろう.

以下では，こうしたクロスボーダーでの電子商取引の拡大が自律的・内生的な貿易依存度の上昇をもたらすのかについて検討する．

## 6.2 電子商取引の拡大による貿易の拡大

既存の対外取引が電子化するのみであれば，そのマクロ的インパクトはさほど大きくないとみられる．しかし，電子商取引によって，新たなクロスボーダー取引が誘発される場合には，貿易量がこれまでの増加ペースを大きく上回るテンポで増加し，国内経済に大きな影響をもたらす可能性があると考えられる．そこで，以下では，特に新たなクロスボーダー取引が誘発されるかどうかに焦点を当てつつ，電子商取引の拡大のマクロ的な影響について検討する．

### B to C 取引

インターネットの発達は，サーチ・コストの低下に加え，デジタル財の配送コストを大きく低下させている（前掲表6-2）．この結果，こうした商品の貿易量が拡大するとともに，従来は非貿易財だったサービスが貿易財化し，新たな貿易が誘発されると予想される．

また，インターネットの発達によって生産者は消費者のニーズの調査が容易になるため，消費者のニーズに合わせて商品を作るなど製品差別化が進行し，産業内貿易が拡大すると考えられる．

なお，デジタル化が不可能な商品についても，インターネットの発達によりサーチ・コストを低下させることから，これまで存在すら知られていなかった海外企業からの製品輸入が増加し，国内製品から外国製品への振り替えも起こり得ると予想される．もっとも，デジタル化が不可能な商品の配送コストはインターネットとは無関係であるため，クロスボーダーのB to C取引拡大による貿易誘発は，主としてデジタル化が可能な財・サービス取引の拡大や製品差別化によってもたらされると考えるべきであろう．

### B to B 取引

B to B 取引についても，インターネットの発達に伴う配送コストの低下によって，デジタル化が可能な中間財・サービス，例えば，生産活動に必要なデータやアプリケーションといった IT サービスの貿易が誘発されるとみられる．米国では，現在 ASP（Application Service Provider）と呼ばれるアプリケーションの IT サービスを遠隔地から顧客に提供する業者が活動を活発化しており，同市場は 2003 年までに 20 億ドルに達するとの予測もみられている．

また，既存の中間財取引に関しては，前述のように，カスタマイズ部品については，国内の系列・下請けメーカーからの継続的な購入が行われる可能性が高いとみられるが，それ以外のある程度共通化が可能な部品については，国内の系列・下請けメーカーから海外のメーカーに代替する動きが出てくる可能性がある．こうした点でも中間財貿易は拡大すると考えられよう．

### 電子商取引の拡大は貿易量全体の拡大をもたらすのか？

前述のように，B to C 取引はデジタル化可能な財・サービスの貿易拡大や製品差別化を通じて，直接貿易量の増大をもたらすと考えられる．一方，B to B 取引による中間財・サービス貿易の拡大が，最終財貿易の増加をもたらすのかどうかについては，中間財輸入の増加により最終財の国内生産が増大し，最終財貿易がむしろ減少する可能性も考えられるため，理論的には増加・減少の両方が考えられる．

しかし，実証研究によれば，中間財貿易の拡大は最終財貿易の拡大を促しており，貿易量全体を増加させているとの分析結果が得られている[29]．また，国際的な中間財・サービス供給における分業体制の強まりを勘案すると，クロスボーダーでの B to B 取引の拡大による中間財・サービス貿易の拡大は，世界の貿易量の増大をもたらす（各国の貿易依存度が高まる）蓋然性が高いとみられる．

---

29) 例えば，Hummels, Rapoport, and Yi [1998] を参照されたい．

さらに、もう一つ考えなければならないことは、インターネットの発達は企業の立地戦略を変化させ、それを通じて、貿易量にも影響を与える可能性があるということである。経済地理学における議論では、産業立地は最終消費者や他の生産者までの輸送コストと、生産要素の集積に伴う規模の経済性や正の外部性、さらに情報の共有に伴う外部性とのトレードオフを反映して決定される。つまり、輸送コストが高い場合には、最終消費地や中間財の供給者に近い地域に、産業が集中することになる。したがって、輸送コストが大きく低下すると、実際の産業立地は分散の方向に働くことになる。

インターネットの登場によって、デジタル財の配送コストが大きく低下していることから、企業の立地戦略が変化し、企業の生産・販売体制の世界規模での展開が可能になっているとみられる。こうした企業立地の分散とそれに伴う直接投資の増加が、貿易と補完関係（貿易を増加）にあるか、代替関係（貿易を減少）にあるのかについては、貿易理論上どちらの場合もあり得る（貿易理論からみた生産要素の移動と貿易量の関係については、Appendix 13 を参照されたい）。この点に関する実証研究では、それがどちらかについて未だ結論が得られている状況ではないが、最近行われている研究（例えば、Collins, O'Rourke, and Williamson [1997]、Goldberg and Klein [1997]）では、補完関係にあるとの結論が示されている[30]。

これらの要因を勘案すると、インターネットの発達や電子商取引の拡大は、全体としての貿易量の増加テンポを加速させる方向に作用すると予想される。

## 6.3 国際的な金融取引の進展

**資産代替（Asset Substitution）の進展**

現実の世界では、理論的に予想されるほどには、国際的な分散投資が進んでおらず、国内資産への強い選好が観察される。こうした現象をホームバイアス

---

[30] この点について、詳しくは、大谷・川本・久田 [2001b] を参照されたい。

と呼ぶ．ホームバイアスの発生原因としては[31]，①非貿易財の存在（自国の投資家はリスク分散のために自国と外国の貿易財部門の株式に加え，自国の非貿易財部門の株式を保有するため，結果として自国の株式を多く持つインセンティブを有する），②国際分散投資によるメリットの僅少さ[32]，③投資家の最適化行動に対する阻害要因（為替リスク，制度的・社会的要因，情報の非対称性）の存在が指摘されている（なお，現状では金融取引のグローバル化はそれほど進展していないことを裏付ける現象としては，ホームバイアス・パズルのほかにも，フェルドシュタイン＝ホリオカ・パラドックスがある．これらの現象について詳しくは，Appendix 14 を参照されたい）．

電子商取引の拡大によって，前述のとおりサービスをはじめとする非貿易財の貿易財化が進むと考えられることから，外国の投資家はリスクシェアリングのために，かつては非貿易財部門であった企業の株式についても，保有するインセンティブを持つようになるとみられる．この結果，①の要因は低下すると考えられる．また，インターネットの発達による情報の受発信コストの低下や，仲介業者の出現によって，従来に比べ対外金融取引が容易になるとすれば，③の投資家のクロスボーダーの最適化行動を阻害する要因もその度合いを低めると考えられる．このように，情報技術革新の進展によって，ホームバイアスは緩和される方向に向かう可能性がある．

**実質長期金利の均等化**

近年の資本移動・金融サービス取引活発化に伴って，金利の国際的な裁定はかなり活発化している．もっとも，金利裁定が成立し易い長期金利についても，実質金利の均等化が完全に起こっているわけではなく，為替レート変動に関する期待，リスクプレミアム，情報の非対称性（例えば，外国の債券に比べ自国の債券に関する情報が入手し易いこと），税制といった投資家の最適投資を阻

---

31) 以下の議論は白塚・中村［1998］に基づく．
32) 一部には，国際分散投資から得られる潜在的なメリットは恒常所得の 0.5% 程度に過ぎないとの試算もみられる．例えば，Lewis［1996］を参照されたい．

害する要因によって，ある程度の実質金利差は残存している．こうした要因のうち，特に情報の非対称性については，情報技術革新による情報の受発信コストの低下，情報に関する仲介業の存在（金融サービス取引の提供）によって，その弊害が軽減される可能性がある．このため，一層，実質長期金利の均等化が進む可能性を考慮する必要があろう．

**通貨代替（Currency Substitution）の可能性**

　通貨代替は，通常，ハイパー・インフレのように自国通貨への信認の大幅な低下を契機に進展すると考えられている．しかし，それ以外にも，クロスボーダーの電子商取引が大きく普及した状態が長期間にわたって継続し，貿易依存度が高まるようになれば，貿易相手国との間で共通の通貨を使用して決済を行うメリットが増えてくる可能性がある．つまり，ある企業においてクロスボーダー取引が取引全体に占める割合が大きくなってくると，外貨と自国通貨の転換における為替変動リスクによる影響も大きくなる．このため，受領した外貨を自国通貨に転換することなく決済に使用することにより，為替変動リスクを軽減しようとするインセンティブが働くようになる．実際，わが国では，1998年4月の外為法改正に伴い，貿易取引に従事している商社・メーカーの間で，手持ちのドル資金を使って決済を行う動きがみられ始めている．将来も，現在のように対外取引の決済の多くがドルで行われ続けるのであれば，クロスボーダーの電子商取引の拡大による貿易拡大によって，企業が決済のために必要とするドル資金および手持ちのドル資金はともに増加することになる．こうしたドル決済のウエイトが一定水準を超えてくると，B to B 取引におけるドルの決済通貨としての利用（ドル化）が加速することも考えられる（ドル化については，Appendix 11 を参照されたい）．

　また，B to C 取引についても，インターネットを使った海外銀行への預金は瞬時にかつ低コストで可能になるため，消費者のドル資金保有が増加し，ドルを使った決済が増加するかもしれない．ただし，B to B 取引の方が B to C 取引よりも額が大きいことを考えると，より可能性の高いシナリオとしては，

ドル化は B to B 取引を中心に進展するというものであろう（2種類の通貨が国内で併存することが均衡となり得る点については，Appendix 15 を参照されたい）．

**金融市場間での競争**

1970年代における米国のレギュレーション Q（貯蓄・定期預金金利の上限規制）のもとでのユーロ市場の拡大，自国企業の外国市場における起債等，従来は自国の金融市場で行われていた取引が，より規制の小さく，税率の低い外国の金融市場に移るといった金融市場間の競争は古くから存在していた．

インターネットの発達は，従来に比べ情報の受発信コストを劇的に低下させ，金融取引にかかるコストの大幅な低下をもたらしている．このため，若干の規制・税制の差異によって，自国の金融市場が空洞化する可能性がかつてないほど高まっている．例えば，統一通貨ユーロ導入に伴う汎欧州ベースでの株式取引に対するニーズの高まりもあって，欧州内での証券取引所間競争が激化しており，合併・提携の動きもみられている．こうした市場間競争による自国金融市場の空洞化を避けるには，規制や税制の国際的なハーモナイゼーションへの努力が従来にも増して重要になっているといえよう．

## 6.4　グローバル化と金融政策

以下では，本章で検討した貿易依存度の上昇，資産代替・実質長期金利の均等化，通貨代替のそれぞれについて，金融政策の波及経路という観点から考えてみたい（金融政策の波及経路の概要については，Appendix 10 を参照されたい）．

**貿易依存度の上昇の影響**

グローバル化に伴う貿易依存度の上昇により，貿易収支（外需）を通じたチャネルが景気変動に及ぼす影響が大きくなるため，金融政策の波及経路として

は, 為替レート・チャネルの重要性が高まると考えられる[33]. なお, アンカバーの金利裁定条件を基にすれば, 為替レートの予想変化率は, 内外金利差とリスク・プレミアムの和に等しくなるため, 為替レート・チャネルの重要性の高まりは, とりもなおさず金利ルートが一段と重要になることを意味している.

**資産代替の強まり, 実質長期金利均等化の影響**

先ほどみたように, 情報技術革新の進展によりホームバイアスが緩和され, 内外金融資産の代替性が高まれば, 資本移動の活発化を通じて内外実質金利差が実質為替レートに及ぼす影響は大きくなる（すなわち, 金利ルートの重要性が増す）と考えられる. その一方で, 期待為替レート変化率が一定である場合には, 内外金融資産の代替性はさらに高くなり, 実質長期金利に世界的な均等化圧力が働くと考えられるため, 政策金利および短期市場金利の変化が長期金利に影響を及ぼしにくくなる可能性がある点に注意が必要である.

**通貨代替の影響**

通貨代替の影響についてみると[34], まず, 部分的なドル化が進行するもとでも, 金融政策の操作目標である自国通貨建て短期金利は, 自国通貨によるマネタリーベース供給のコントロールに依存している以上, 中央銀行の金利コントロール力には変化は生じない. しかし, 国内経済活動の一部が外貨建て決済を通して行われるようになると, 自国通貨建て短期金利が実体経済に与える影響力は相対的に弱まるものと考えられる. また, 外貨建て決済の増加は, 外貨での銀行貸出の増加を伴うと予想されるが, その場合, 金融政策は自国通貨での銀行貸出にしか影響を与えることができないため, 銀行借入が他の資金調達手段と完全代替的ではない場合, 銀行貸出を通じた金融政策の影響力が弱まる可能性もある.

---

33) これはMishkin [1995] でも強調されている点である.
34) ドル化の進行は通貨発行益（シニョレッジ）の減少ももたらすが, ここでは, 金融政策の有効性に限って議論を進める.

次に,こうしたドル化の進行は,マネーサプライ統計の作成を一層困難なものにする可能性が高い.たとえマネーサプライ統計が正確に作成できたとしても,それと実体経済や物価との関係が不安定化する可能性がある.

　さらに,完全なドル化は,自国の金融政策の介在する余地がなくなることを意味する.なお,この点は,欧州主要国における統一通貨ユーロ導入によって,金融政策の決定権限が各国の中央銀行からECB(European Central Bank:欧州中央銀行)に移ったことからも明らかである.

# 第 7 章
# 情報技術革新の進展と金融政策運営

1 中央銀行による金融経済動向把握への影響

2 金融政策の波及経路やその効果への影響

中央銀行は，リアルタイムでの影響を正確に把握することが困難な様々な外的ショック（例えばオイル・ショック），経済構造の変化，制度変更が断続的に起こっている不確実な世界で金融政策を行っている．現在進行中の情報技術革新は，これまでの各章でみてきたように，金融経済の枠組み（構造）の変化をもたらすとみられ，しかも，それは想像以上のテンポで進む可能性も否定できない．このように，情報技術革新は，中央銀行が金融政策を運営していく世界に新たな不確実性を生み出すと考えられる（不確実性下の金融政策運営に関する既存研究については Appendix 16，情報技術革新が具体的にどのような不確実性をもたらすのかについては，Appendix 17 を参照されたい）．

こうした不確実性のもとでの金融政策運営のあり方については，このところ様々な研究が行われており，ひとつの有力な考え方は，慎重かつ漸進的な政策変更が望ましいとするものである．例えば，金融政策の波及効果が強まっているにもかかわらず，それを不変あるいは弱まっていると判断し，大幅な政策変更を行った場合には，経済に大きなダメージを与えることになる．しかしながら，一方で，慎重かつ漸進的な金融政策運営は，"too little, too late"（政策変更が小幅すぎ，遅すぎる）との批判を受けることも少なくない．不確実性が大きい場合は，むしろ，できるだけフレキシブルに政策を変更し，結果が芳しくなければすぐ元に戻すという政策運営を推奨する論者も少なくない．このように，不確実性下での金融政策運営については，今のところ確たるコンセンサスは得られていないのが実状である．

そこで，本章では，情報技術革新の進展が金融政策運営にどのような難しさをもたらすのかについて，中央銀行による金融経済動向の把握への影響を指摘し，それに対処するための方策をみる．そして，これまで論じてきた情報技術革新が，金融政策の波及経路やその効果に与える影響について再度検討し，その影響についてまとめることにする．

## 7.1 中央銀行による金融経済動向把握への影響

　情報技術革新は，第3章でみたように情報量の増大をもたらしているため，中央銀行が政策運営に当たって利用可能な情報を増やす側面があるとみられる．
　しかしながら一方では，中央銀行の政策判断の前提となる実体経済や物価動向の正確な把握という面で，不可避的にその難しさを増大させる可能性がある．以下では，その点についてやや詳しく検討し，そうした不確実性を減少させるための努力が必要であることを指摘する．

**潜在成長率の正確な把握**

　情報技術革新は，省力化や生産工程の効率化，新たな技術によって生み出された財を中間財として使用する産業へのシナジー効果を通じて[35]，TFP（Total Factor Productivity：全要素生産性）の上昇をもたらすと考えられる．ところが，米国のTFPを実際に計測してみると，上昇しているとの結果は長らく得られなかった（いわゆる「生産性パラドックス」）．このため，このパラドックスを説明するための様々な仮説が提起されてきたが（この点については【Box 9】参照），最近になって，情報技術革新はTFPの上昇をもたらしているとの実証分析が多くみられ始めており，TFPの上昇を肯定する意見が優勢となっている．例えば，2000年2月に公表された米国の大統領経済諮問委員会（CEA）年次報告は，情報技術革新に起因する生産性向上に対し，極めて肯定的な評価を行っており，1995年以降の労働生産性上昇率は長期的なトレンドよりも1.47%加速していると計測している（図7-1）．その内訳は，活発なIT投資等による資本ストック増大の寄与度が0.47%，コンピューター部門のTFP上昇率の寄与度が0.23%，それ以外の分野のTFP上昇率が0.7%である．しかも，景気拡大期の後半には，生産性上昇率は鈍化していくことが通常のパターンであるが，今回の景気拡大期では，期を追うにつれ生産性上昇率が

---

[35] こうしたシナジー効果の大きさは，労働市場のモビリティー等各種市場でどの程度市場メカニズムが機能するかにも依存している．

図7-1 米国における労働生産性（非農業セクター）

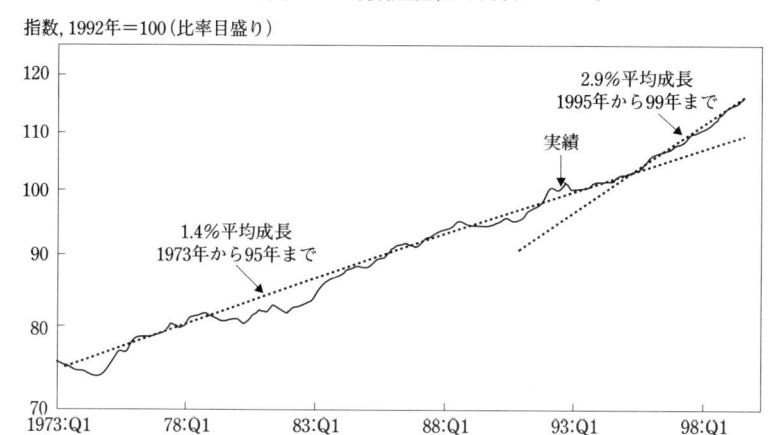

指数，1992年＝100（比率目盛り）

2.9％平均成長
1995年から99年まで
実績

1.4％平均成長
1973年から95年まで

注：生産性は所得サイドと生産物サイドの計測値の平均である．1999年の生産性は最初の3つの四半期から推測されている．
資料：CEA［2000］．

図7-2 米国における景気拡大期の労働生産性（非農業セクター）の変化

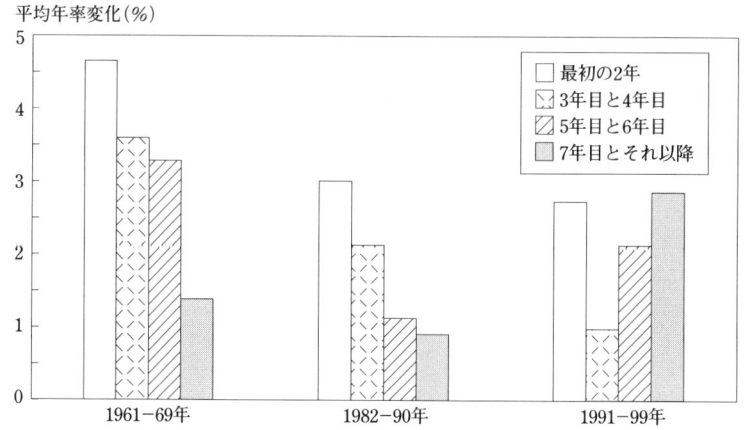

平均年率変化(%)

凡例：
- 最初の2年
- 3年目と4年目
- 5年目と6年目
- 7年目とそれ以降

注：最後の1本のグラフは，1997年から99年第3四半期までの成長．
資料：CEA［2000］．

加速していることを明らかにしている（図7-2）．

1990年代に入った後，米国では情報関連投資が増加したにもかかわらず，TFPの上昇が確認されたのは，ごく最近のことである．中央銀行がマクロの

生産性や潜在成長率をリアルタイムで正確に把握することは，金融政策の運営上非常に重要であるが，米国の例から明らかなように，それは同時に大変難しい作業であるといわざるを得ない．現に，1970年代の米国金融政策の失敗は，実際にはオイル・ショックの影響から潜在成長率が低下していたにもかかわらず，それを認識せずに過度に緩和的な金融政策を行ったためである，との研究結果もみられる[36]．

**物価の正確な把握**

　情報技術革新は，中央銀行が政策判断の重要な拠り所としている物価動向の正確な把握を，困難にすることも考えられる．

　まず，情報技術革新が進行するもとでは，物価の下落が起きたとき，それが需要ショックによって起きたものなのか，それとも情報技術革新による供給ショックによって起きたものなのかを識別し，それを定量的に把握することが，金融政策の政策判断にとって重要となる．このうち，供給ショックについては，総供給曲線が，情報技術革新によってどの程度下方シフトしたのかを計測することが必要になる．しかし，それには，情報技術革新による生産性の上昇や各種市場での独占度合いの変化等の正確な把握が必要となり，実際には多くの困難を伴うことが予想される．また，情報技術革新によって開発された新製品や電子商取引を物価指数に迅速に取り込めない場合には，物価指数の上方バイアスが深刻化するおそれがある．さらに，一物多価が広がり，これまである商品カテゴリーの代表品目として使用されてきた品目の価格が，同一カテゴリー内の他の品目の価格と異なる動きを示す場合には，物価指数の指標性に大きな問題を投げかけることにもなる．

　物価の正確な把握は何時の時代も大変難しい問題であるが，情報技術革新はそれを一層困難なものにする可能性が高い．

---

36) この点については，Orphanides [1999] を参照されたい．

### 不確実性への対応の必要性

以上のように，情報技術革新が進展するもとでは，潜在成長率や物価動向を正確に把握することが一段と困難となり得る．金融経済情勢に対する正確な理解が，金融政策運営の大前提であることを踏まえると，中央銀行は，他の様々な外的ショック同様，情報技術革新に伴う変化を迅速かつ正確に捕捉し，政策判断に当たって直面する不確実性をできるだけ小さくするよう最大限の努力を払う必要がある．すなわち，情報技術革新が進展する中では，マクロ経済の状況をより正確に判断するために，調査・研究の質を高め，分析能力を向上させていくことが必要である．また，金融経済情勢の正確な把握という観点からは，経済統計の一層の拡充・整備も重要となろう．例えば，金融決済技術革新の進展に伴い，特定のマネーサプライ指標の信頼性は低下する可能性が高いため，適切なタイミングで定義や対象資産の見直しを行っていく必要がある（米国における新型金融商品の登場によるマネーサプライの定義の見直しの経緯と，今後のマネーサプライ統計作成に際して取るべきスタンスについては，【Box 10】参照）．また，最近拡大の著しい電子商取引に関する統計整備や，物価統計の信頼性を維持・向上させるための様々な取組み（例えば上方バイアスの緩和策）も重要な課題として挙げられよう．

### 【Box 9】生産性パラドックスを説明するいくつかの仮説

米国における1980年代からの情報技術革新がTFPの計測値の上昇に結びつかないという，いわゆる「生産性パラドックス」に関する議論は，大別すれば，歴史的ラグ説，計測誤差説，動学的TFPによる計測の3つに整理できる．ここでは，これらの議論をやや詳しく紹介する．

#### 歴史的ラグ説

著名な経済史家であるDavid [1990]によると，電力モーターは1880年頃に発明されたが，それが米国製造業の生産性上昇に寄与するようになったのは1913-29年頃であった．したがって，発明とTFPの上昇の間には30〜40年のラ

グが存在したことになる.こうしたラグをコンピューターの場合に適用すれば,1980/90年代は「懐妊期間」に当たり,TFPの上昇は今後顕現化する,との解釈が成立する.

同様に北村［1997］も,わが国の経済史を振り返った上で,19世紀末から徐々に普及した電力・電話・通信・鉄道が本格的な生産性の向上に結びついたのは,戦後になって応用面での技術革新が進展してからであると述べ,ラグ説に対し概ね肯定的な立場をとっている.

**測定誤差説**

Nordhaus［1997］によると,一般に性能の良い新しい財の登場は,その財が生み出す効用やサービスの単位当たり価格を低下させるが,実際に作成される価格指数は,そうした効果を十分に反映していない.彼は「明るさ」（1ルーメンの光束1時間当たりの価格）というサービスの価格が,1827年の蠟燭から1990年代の最新型電球にかけて本当は100分の1に低下したにもかかわらず,「光」をもたらす消費財の価格指数の方は,逆に8倍ほどになっていることを示した.つまり,価格指数は150年間で「真の価格」の800倍になったというわけである.

価格指数が過大評価されていれば,当然実質所得の上昇はその分過小評価される.Nordhaus［1997］によると,米国の消費者物価指数（CPI）の場合,品質向上が十分に反映されていないために生じている上方バイアスは,平均年率1.2%であるという.こうした品質調整を行えば,米国の実質賃金の上昇は1959-95年の累計ベースで10%から70%に上昇するほか,この間の米国のTFP上昇率は0.6%から1.8%へと上昇する.

このように,Nordhaus［1997］は,品質の向上が価格指数に反映されていないことから生じるバイアスにより,TFPの上昇は過小評価されている可能性があると主張している.

**動学的TFPによる計測**

黒田・野村［1997］によれば,従来,資本ストックの大部分は建築・土木をはじめとする資本財であったが,近年,その構成割合が低下する一方で,電気・一般機械の割合が上昇している.情報技術革新は,電子機器を中心とした「資本財の技術進歩」であり,それが各産業部門の資本財を,質と構成の変化を通じて,より効率的にしているはずである.一方,生産要素としての資本ストックは過去に行われた投資の累積であり,その投資された時点での技術水準を反映している.したがって,現時点での生産性を計測するためには,過去に遡って資本ストック

に体現されているはずの技術の効率を評価することが必要となる．また，情報技術革新は，産業間での相互依存関係の変化ももたらしているため，生産性計測のためには，そうした点も考慮に入れる必要がある．

こうした発想に基づき，一国の生産効率を動学的観点から評価したのが「動学的TFP」の概念である．黒田・野村 [1997] は，この概念を用い，わが国における生産効率の上昇率は 1985-90 年の年率平均で 3.32% に達し，この値は，同期間の通常の測定方法で測った生産性上昇率（1.65%）を大きく上回っている，との計測結果を示した．そして，もはや生産性パラドックスは観察されないと結論付けている．

### 【Box 10】新型金融商品の登場によるマネーサプライの定義の変化

新型金融商品の登場によって，マネーサプライ統計はどのような影響を受け，中央銀行はマネーサプライ統計の有用性を維持するためにどのような行動を求められるのであろうか．ここでは，米国の経験からマネーサプライ統計作成へのインプリケーションを導き出そう．米国では，NOW 勘定，ATS 勘定，MMMF といった新型金融商品が登場するたびに，マネーサプライ統計の信頼性に関する議論が活発化し，必要な対応が取られてきている．具体的にみると，以下のとおりである．

#### NOW 勘定

貯蓄銀行（貯蓄貸付組合，相互貯蓄銀行，信用組合）は，小切手を振出可能な要求払預金の発行を法律により規制されていた．しかし，小切手類似の機能を持ちながら，法律上小切手と扱われない NOW（Negotiable Order of Withdrawal：譲渡可能支払指示書）勘定を開発することにより，その法律をすり抜けることに成功した．この結果，付利が禁じられている要求払預金から NOW 勘定に大規模な資金シフトが発生した．これを受けて，NOW 勘定は 1978 年 11 月に M1＋に算入され，80 年 2 月には M1B（現在の M1）に算入されることになった．

#### ATS 勘定

商業銀行は，法律で要求払預金に付利することを禁じられていたが，NOW 勘定への資金シフトに対抗するため，ATS（Automatic Transfer Service：自動

振替サービス）を開発した．これによって，決済資金が必要な場合には，有利子の貯蓄口座から要求払預金口座に必要資金だけを自動的に移し替え，決済ができるようになった．この結果，マネーサプライ統計上，ATS 勘定を要求払預金と区別することが無意味となったため，ATS 勘定は 80 年 2 月に M1 に算入されることになった．

### MMMF

1971 年に登場した MMMF（Money Market Mutual Fund：短期の公社債を中心に運用する投資信託）は，レギュレーション Q のもとでのボルカー FRB 議長による高金利政策と MMMF の決済性向上を背景に，1970 年代末以降，貯蓄預金や小口定期預金からの資金シフトによって残高が急速に増加した．このため，1980 年 2 月に個人向け MMMF が M2 に算入されることになった．

### MMDA

MMDA（Money Market Deposit Account：銀行によって運営される投資信託）は，当初銀行による発行が認められていなかったが，MMMF 普及による貯蓄銀行の倒産ラッシュを救済すべく，1982 年末に発行が認められることとなった．MMDA は，店頭での引出しや小切手の振出が可能であるうえ，預金保険の対象になったため，大量の資金が MMMF 等から MMDA にシフトした．この結果，1983 年 1 月，M2 の中に MMDA の項目が追加されることになった．

### 債券・株式ミューチュアル・ファンドの急増と「Missing M2」

1990 年代初頭，ミューチュアル・ファンドの決済性の高まり（提携銀行の要求払預金口座との振替サービスの充実）を背景に，M2 対象の定期預金から債券・株式ミューチュアル・ファンドへの資金シフトが発生した．このため，度重なる金融緩和にもかかわらず，M2 の増加率は低位に止まっていた．

こうした状況を受け，FRB のエコノミストを中心に，債券・株式ミューチュアルファンドを含む拡張マネーサプライ統計（monetary aggregates）が作成され，それらの実体経済指標との安定性を調べるための実証分析が数多く行われた．その際，特に注目された論点を列挙すると以下のとおりである．

まず第 1 に，ミューチュアル・ファンドを含むマネーサプライ統計と実体経済指標の関係が挙げられる．例えば，Orphanides, Reid and Small［1994］は，債券・株式ミューチュアル・ファンドを含む広義のマネーサプライ統計を作成したものの，それらは 1990 年代の名目 GDP の先行指標として，通常の M2 より

も必ずしも優れているとは言えないとの実証結果を報告している．

　第2に，外貨建て資産の算入の問題が挙げられる．現行のマネーサプライ統計はすべて米ドル建てであるものの，この時期特に伸び率が高かったファンドの1つに外貨建て資産に投資するタイプのものがあった．このことは，ミューチャル・ファンドを含むマネーサプライ統計を作成する際，為替レートの取扱いをどうするかというこれまで直面したことのない問題を提起した．

　第3は，元本保証の有無についてである．現行のM2は，元本の保証された資産，つまり市場金利の水準によって価値が変動することのない安全資産のみで構成されている．しかし，債券・株式ミューチャル・ファンドの価値は，金利変動によって引き起こされるキャピタルゲイン・キャピタルロスによって大きく変化するため，それらを含むマネーサプライ統計の作成やその動きの解釈はこれまでに比べ難しいものとなった（Collins and Edwards［1994］）．

　第4に，「貨幣らしさ（moneyness）」の程度の問題がある．一般に，貨幣らしさの程度とは「支払手段としてのサービスを提供する程度」のことを指す．債券・株式ミューチャルファンドは，確かに決済サービス機能を有しているものの，回転率（支払い総額の当該資産残高に対する比率で定義）からみた貨幣らしさの程度は預金に比べ低過ぎるため，現行M2対象資産と同じ扱いでM2指標に含めることは合理性に欠ける．こうした問題を回避するために，マネーサプライ統計の作成方法として，従来の「単純和集計」に代わり各金融資産をその貨幣らしさの程度に応じて「加重和集計」することも一部の研究者から提案された[37]．

　しかし，こうした様々な取組みにもかかわらず，結局のところ具体的な統計の見直しには至らなかった．

　以上を振り返ると，FRBは決済性の高い新型金融商品が登場する度に，マネーサプライ統計の範囲を広げた集計量を順次作成しており，名目GDPや物価といった目標変数との関係で，実証的に最も有用性の高い定義を模索してきたことがみてとれる．

　したがって，情報技術革新によって，今後，わが国においても，新型金融商品が登場してくるとすれば，FRBが採っていたような「試行錯誤的」なアプローチを採用せざるを得ないと考えられる．

---

37）　そうした試みの1つとしてFeldstein and Stock［1994］がある．

## 7.2 金融政策の波及経路やその効果への影響

次に，情報技術革新が金融政策の波及経路やその効果に及ぼす影響について，整理してみよう．

**中央銀行による短期金利のコントロール**

第Ⅰ部第2章でみたように，電子マネーをはじめとする電子決済技術の発達，情報技術革新による新型金融商品の登場は，かつて MMF やクレジットカードが普及したときと同様，マネタリーベースに対する需要を構造的かつ不安定的に減少させる可能性が高い．このように通貨量に対する需要が不安定化する状況において，実体経済の変動を小さくするには，中央銀行は「金利安定化政策」を採用することが望ましいとされている（Poole [1970]）．実際には，ほとんどの国で操作目標を短期市場金利に置いているため，その意味では，この点は現在の金融調節の枠組みに大きな影響を与える要因とは考えられない．

マネタリーベースに対する需要が減少していくとしても，中央銀行がマネタリーベースの「独占的供給者」である以上，中央銀行の短期市場金利に対するコントローラビリティーが失われることは原理的にはないと考えられる．金融決済技術革新が一段と進展し，マネタリーベースの残高がゼロになった場合にも，それに対する需要が存在する限り，中央銀行による短期市場金利の誘導は可能と考えられる（この点に関する思考実験については，Appendix 18 を参照されたい）．

もちろん，金融決済技術革新の進展によってマネタリーベースに対する需要が長期的に減少していくとすれば，中央銀行のコントロールする短期市場金利の金融市場やマクロ経済全体に対する影響力が低下する可能性はあろう．しかし，現在でも数兆円程度のマネタリーベース残高に対し，日々の決済額は 100 兆円以上に上っており，情報技術革新によって決済の効率化が一段と進み，マネタリーベースが数千億円程度にまで減少したとしても，その影響力が弱まるとは考えにくい．むしろ，マネタリーベース需要の減少の背景が，金融・資本

市場の発達であるとすれば,短期市場金利を通じた波及効果は増す可能性もあろう[38]．

**金融政策の波及経路やその効果への影響**

　第5章以降で,金融取引や金融仲介業の変化,グローバル化によって金融政策の波及経路がどのように変化するのかについて検討を行ってきた．ここでは,それらの議論をもう一度確認しておこう（表7-1）．

①情報処理・通信コストの低下やデリバティブの発達によるリスク管理技術の高まりは,市場の裁定取引の活発化を通じて,金融・資本市場における金利の波及スピードを高めるとみられる．一方,アベイラビリティ・ルートについては,金融・資本市場の拡大による銀行借入以外の資金調達手段の拡大や,デリバティブ取引の拡大による信用割当の減少を通じて,その有効性が低下する可能性がある．

②金融仲介業への異業種参入は,競争圧力の高まりを通じて,貸出金利の短期金利への反応を増し,金利ルートの有効性を高める可能性がある．一方,情報技術革新により,金融機関のモニタリング能力が向上すれば,企業の担保価値の変動を通じた波及効果（バランスシート・チャネル）はその分低下するのではないかとの見方もある．

③グローバル化の進展による貿易依存度の上昇は,従来に比べ為替レートを

表7-1　情報技術革新の下での金融政策の波及経路の変化

|  | 金利のルート | アベイラビリティ・ルート |
|---|---|---|
| 金融・資本市場の発達 | ○ | × |
| 金融仲介の変化 | ○ | × |
| 貿易量の拡大 | ○ |  |
| 資産代替の進行 | ? | ― |
| 実質長期金利均等化 | [為替への影響：○<br>内外実質長期<br>　金利均等化：×] |  |

---

38）この点については,第5章を参照されたい．

通じた金融政策の波及効果を強めると考えられる．これは，為替レートへの影響を通じて金利ルートの影響力が高まる可能性を示唆している．情報技術革新の進展により，内外金融資産の代替性が強まる場合にも，金利の為替レートに及ぼす影響が強まると考えられる．ただし，期待為替レート変化率が一定の場合には，実質長期金利に世界的な均等化圧力が働く結果，政策金利および短期市場金利の変化が長期金利に影響を及ぼしにくくなる可能性がある点に注意が必要である．

以上の検討結果を基に判断すると，情報技術革新が進展するもとでの金融政策の波及経路では，①金利および為替レートを通じた効果が強まる，②資金のアベイラビリティー（あるいはバランスシート）を通じた効果は低下する可能性が高い，との結論が得られる．

なお，情報技術革新の進展が金融政策波及経路を変化させるだけでなく，その必要性や有効性そのものを低下させる可能性も皆無ではない．すなわち，第4章でみた電子商取引によるメニューコストの低下は，金融政策の効果を論ずる以前の問題として，そもそも金融政策の必要性がない経済状況が現出する可能性を示唆している．また，電子マネー自体が一般受容性を持った決済通貨になることや，第6章でみたドル化の進行は，そもそも自国の金融政策が介在する余地を小さくすることを意味している．しかし，情報の非対称性の存在を勘案すると，すべての財・サービス取引がインターネット上で行われ，価格が完全に伸縮的になるとは考えにくい．また，ハイパー・インフレによって自国の通貨への信認がなくならない限り，完全にドル化が進む可能性も低いとみられる．したがって，金融政策の必要性や有効性の程度が低下することはあり得ても，当面，金融政策の必要性が消滅し，有効性自体が失われることはないであろう．

# おわりに

　第Ⅱ部は，情報技術革新によって金融経済活動，およびその枠組み（構造）がどのように変化し，その結果，金融政策運営はどのような影響を受ける可能性があるのか，それに対し，中央銀行はどう対処すべきなのかについて，包括的に検討を行ってきた．情報技術革新は現在進行中であり，その影響の現れ方やインパクトの大きさを現時点で正確に見通すことは不可能である．情報技術革新の影響を見落とす危険性があるのと同様に，そのインパクトを過大評価する危険性もあることには留意が必要であろう．ただ，将来への備えという観点からは，その可能性をできるだけ広く捉え，そのあり得べき影響について幅広い思考実験を試みるという姿勢が重要であろう．

　第Ⅱ部での結論をまとめると，以下のようになろう．

①情報技術革新によって，金融取引や金融業の変質，財・サービス取引の枠組みの変化，グローバル化の一層の進展など，金融政策が働きかける対象である金融経済活動やその枠組み（構造）が大きく変化する可能性がある．しかも，情報技術革新による変化は，想像以上のテンポで進む可能性も否定できない．

②金融経済情勢に対する正確な理解が，適切な金融政策運営の大前提であることを踏まえると，中央銀行は，他の様々な外的ショック同様，情報技術革新に伴う変化を迅速かつ正確に捕捉し，政策判断に当たって直面する不確実性をできるだけ小さくするよう最大限の努力を払う必要がある．そうした観点からは，金融経済の分析能力の向上や経済統計の一層の拡充・整備も重要となろう．

③情報技術革新が金融政策の波及・効果に与える影響については，従来以上に金利を通じた効果が重要になるなど波及経路の重要度に変化が生ずる可能性がある．しかし，金融政策の必要性や有効性自体が失われることは当面あり得ないと考えられる．

第7章の冒頭でみたように，不確実性がもたらす様々な問題は，情報技術革新に固有のものではない．しかし，情報技術革新は，金融経済活動のあらゆる側面において，その基本的な枠組みのあり方を含めて大きな影響を及ぼし得るものであるだけに，それに伴う不確実性も極めて多面的なものとなりそうである．

第Ⅱ部は，情報技術革新の影響をできるだけ包括的に捉えようと努めたが，もちろん，そのすべてをカバーできているわけではない．

例えば，情報技術革新によって，多くの情報がリアルタイムで入手でき，それが市場価格に反映される一方，中央銀行も情報をリアルタイムで発信できるようになっている．こうした市場環境の変化のもとで，中央銀行が「市場との対話」をいかにして適切に行っていくかは，今後の重要な論点と考えられる．

また，情報技術革新による金融取引のスピード上昇やグローバル化の影響について，さらに検討を深めていくことも有益であろう．例えば，スピーディーな金融取引が可能になることによる，金利，為替，株価のボラティリティーへの影響は今後一層検討が望まれる論点の1つである．情報技術革新によって，期間が数時間や数分といった金融取引が可能となるかもしれない．そうした変化により，従来の取引慣行や金融調節も見直しを迫られる可能性がある．また，国際的な金融取引の拡大や投資家の群衆行動（herding behavior）により，外国の政策の失敗といった外生的ショックが自国市場に波及しやすくなると考えられる．このため，そうした波及にいかに対処するかも重要な政策課題になろう．

さらに，中央銀行にとって，情報技術革新が金融システムの安定性に対してどのような影響を及ぼす可能性があるのか，それに対し，プルーデンス政策は

どう対応すべきなのかといった点も，極めて興味深い問題である．第5章でも紹介したように，情報技術革新のもとで，金融・資本市場が発展する一方，金融仲介業では，異業種の新規参入による分散化と銀行合併（メガバンク化）による集中化が同時並行的に進んでいる．こうした市場および金融仲介業の変化は，金融システムの安定の意味やそれを達成するための手段，例えば，セーフティネット，金融機関監督手法，規制のあり方にも大きな影響を及ぼすはずである．

　本書は，こうした点を検討の対象としていないが，その重要性に鑑みれば，今後検討が深められるべき課題であると考えられる．

# Appendix 7　信頼形成に関する実務的な方法

　本論の第4章では，電子商取引は「顔」の見えない取引であるために，仲介業の役割が依然として重要であり，仲介業自体が「信頼」を獲得することが必要であることを指摘した．

　この点について，北村・大谷・川本［2000］は，国領［1999］に基づき，電子商取引で，仲介業はいかにして「信頼」を獲得することができるのか，また，仲介業はどのような形で「信頼」を仲介しているのかについて，実務的な観点から議論を展開している．以下では，北村・大谷・川本［2000］の議論を紹介する．

**「信頼」獲得のための実務的な手法**

　仲介業は，以下の3つの手法によって，「信頼」を獲得することができると考えられる．

**技術による「信頼」形成**

　暗号や電子署名，電子印鑑などの技術が確立すれば，第三者による身元の認証を可能にし，不正な取引が行いにくい状況を作れる（電子認証制度の確立）．しかし，そのような暗号技術は第三者の不正な介入や進入を阻止することには有効かもしれないが，取引しようとしている相手が遠隔地におり，しかも一回限りの取引を行う場合には，必ずしも有効ではないだろう．

**法的な秩序による「信頼」形成**

　法的秩序を形成することで信頼を得る方法もある．インターネット上では，

ハッカーによる政府機関のホームページの改竄や情報の破壊,個人攻撃を目的とした誹謗中傷,猥褻文書,画像の氾濫がみられ,無法地帯と化している感がある.社会的な混乱を防止し,電子商取引を促進するという観点からも,一定の秩序を形成するような実効的な法的枠組みが必要である.具体的には,例えば,消費者保護法や消費者契約法を整備したり,インターネット取引の拡大により莫大な損失が一瞬にして発生してしまう危険のある金融取引における諸規制が考えられる.日本政府も2000年5月に「電子署名及び認証業務に関する法律」を制定し(2001年4月より施行),電子商取引におけるより一層の安全性の確保に乗り出している.

**評判形成による「信頼」獲得**

　商品取引の評判を顧客が流すことによって,自律的に信頼が形成されていくことがある.すでに多くのプラットフォーム・ビジネスでは顧客の事後的な評価報告を載せることによって,評価を確定していくというアプローチがとられている.これによって,特定の顧客との一回限りの取引から利益を上げようとする売り手は,同じ手口を他の顧客に対して使うことが難しくなる[39].売り手にとっても良い評判を維持することは商売上極めて重要であり,それを維持しようとするインセンティブから,さらに良い商品を提供するようになる.「ブランドネーム」や「のれん」といった概念はこれを体現したものである.ここで,注意しなければならないのは,電子商取引の代表的存在であるAmazon.comが,ヨーロッパの「ブランドネーム」や日本の老舗の「のれん」が極めて長期にわたって築いてきたものをその取引規模の巨大さから,ほんの数年で築いてしまった点である.長期的取引関係が評判を形成するという機能は,インターネット時代には,はるかに短期間に達成可能であることを示している[40].

---

39) インターネット・オークション市場では,虚偽の申告による不良品を売り出した客に対しては,警告,取引撤回,将来の取引停止といった様々なレベルでの罰則が考案されている.
40) 評判に関するマーケットのモデルはAvery, Resnick and Zeckhauser [1999] を参照.もちろん「ブランドネーム」や「のれん」は,取引される商品の品質やアフターケアの完備が長い期間の繰り返し取引で洗練されてきたという側面があり,短期間で築かれた評判は一時的なネットバブルに基づく幻想にすぎないという見方もあり得る.

## 電子商取引における仲介業の「信頼」の仲介手法

　仲介業者による信頼の仲介が可能であれば，見知らぬ他人同士であっても信頼関係を築くことが出来る．このような仲介業者の存在は，不特定多数の取引主体同士が非定期的に取引を行う場合に重要になる．インターネット上の電子商取引では，このような仲介業者であるプラットフォーム・ビジネスが信頼の仲介まで行うことによって，不確実性をかなりの程度緩和できる．

　図 A7-1 はネットワーク取引を概念化したものである．取引相手が事前に特

図 A7-1　信用のネットワーク

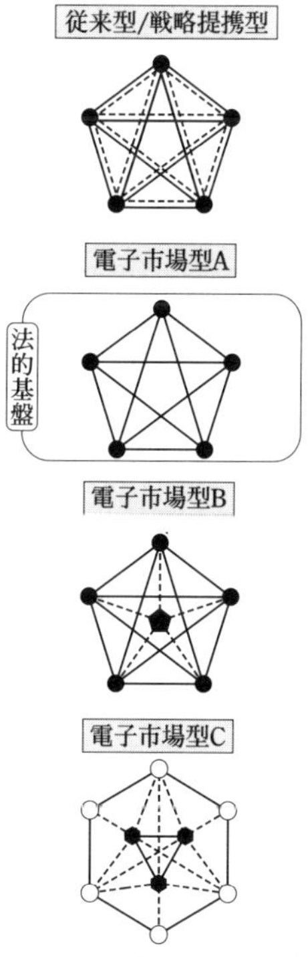

従来型/戦略提携型

電子市場型A

法的基盤

電子市場型B

電子市場型C

------ 電子商取引契約（取引開始前に結ぶ）　　―― 売買関係　　● プラットホーム

資料：国領二郎 [1999, p.155] に加筆修正．

定化されているような企業同士の関係は戦略提携型の形態を取り、日常的な取引関係の中で信用が形成されるので仲介業者を通す必然性がない．一方，不特定多数取引主体間の電子商取引の場合には，信用確保のために，いくつかの類型が考えられる．まず，法的基盤に信用問題をすべて委任した形の電子市場型Aがあるが，これは国際的な電子商取引に対する法的実効性の観点から限界があるとされている．第三の仲介業者が介在する電子市場型Bの典型例はクレジットカード会社である．クレジットカード会社は「取引主体間は直接取引契約を結んでいないが，すべての取引主体がクレジットカード会社と取引契約を結んでいる」という状態である．この場合，取引主体は取引相手を信用できなくても，クレジットカード会社を信用していれば，取引が成立する．なお，電子市場型Cは仲介業者が複数存在するケースである．取引相手は，状況に応じて，使用する仲介業者を選択して取引を行う．具体的には，書籍を電子商取引で購入する場合に使うプラットフォーム・ビジネスと車を購入する場合に使うプラットフォーム・ビジネスは異なっているケースに相当する．クレジット・カード会社も一社しかなければ，独占的仲介業者としてのマークアップを増加させる可能性があるが，複数のクレジットカード会社を選択的に使い分けることで，プラットフォーム・ビジネス間での競争環境を作ることが，取引主体にとっての利益にもなる．

# Appendix 8　株式市場のマーケット・マイクロストラクチャー改革

　情報技術革新による情報処理・伝達コストの大幅な低下は，株式取引を活発化させている．株式取引の活発化は，株価の指標性や株式市場の流動性を向上させると考えられる一方，膨大な売買注文をどのように処理するのかによっては，株価が乱高下しやすくなるといった問題を生じさせるとも考えられる．以下では，こうした問題点とその対応策について検討を行っている，北村・大谷・川本［2000］の議論を紹介する．

　株式市場では，インターネットをはじめとする情報技術を利用することによって，24時間体制で取引が出来るようになっている（これを連続時間市場，the Continuous Marketと呼ぶ）[41]．一般に，これは投資家の利便性を高め，証券会社にとっても取引コストの削減になるなど，株式取引の効率性を高めるものと考えられている．

　しかし，株式市場のマーケット・マイクロストラクチャーを考えると，ディラー（仲介業者）に連続的に注文が入ってきても（例えば売り注文），それに応じた相手方の注文（例えば買い注文）が入ってこなければ，取引はできないし，ましてや指値で注文が入ってくれば，その値段で取引を希望する相手が見つかるまで取引は成立しない（bid-ask spreadが存在する）．また，株式市場の流動性が十分大きくなければ，大口の注文は市場価格に多大な影響を与え，価格形成を歪めてしまう可能性がある．このように連続時間市場での取引は，必ずしも最も効率的で，公正なものとはいえない．

　Economides［1993, 1995］, Economides and Heisler［1994］, Economides

---

[41]　ニューヨーク証券取引所やNasdaqの市場取引は一般に連続時間市場取引システムをとっている．

and Schwartz [1995a, 1995b] は, 株式取引を, ディラー (仲介業者) を使わずに直接, 売買市場のせり人 (auctioneer) に対してインターネットで電子的に注文し, しかも, 取引は連続的に行うのではなく, 特定の時間に裁定するという電子コール市場 (the Electronic Call Market) の導入を提唱している[42].

このように, これまでの発想を逆転して, 仲介業者を介さず, 特定の時間だけに取引をするような株式市場の取引形態を導入することにどのような意義があるのだろうか.

エコノミデス達が最も強調している点は, 特定の時点 (コールという) までに注文が蓄積されることで, 市場流動性が確保されるということである. また, これによって, 市場の価格形成が効率化されることにもなる. すなわち, コール時点での価格は市場均衡価格であり, bid-ask spread は存在せず, 大口取引に便乗したフリー・ライダー取引の問題も解消できるのである.

市場参加者に対しては, 市場情報として, リアル・タイムで, その時間までに出された売り注文, 買い注文の累計が公開され, またその時点までの需給から, 理論的株価が計算され公表される. これはコンピューター化された電子商取引では簡単に行える. 市場参加者は, その成り行きを見ながら, 参加, 不参加のタイミングを決めることが出来る. つまり, 電子コール市場というのは, コール時点まで全くのブラック・ボックスに入っているのではなく, 極めて透明性の高いものなのである.

エコノミデス達の具体的な提案は, (a)電子コール市場を通常の連続時間市場と並列的に開設する, (b)市場開始時点, 中間時点, 市場閉鎖時点の3つのコール時点を設定する, (c)取引に早い時点で注文を出した人に対しては, 他の投資家の流動性を呼び込む先駆けとなったことに対する外部性として取引手

---

42) The Electronic Call Market は実在する. 例えば, Tel Aviv Stock Exchange, the Paris Bourse (小規模取引に対して), the Bolsa Mexicana's intermediate market は電子コール市場であるし, アメリカ国内でも the Arizona Stock Exchange (AZX) は1992年春から電子コール市場を開設している. 念のために, ここでいうコール市場は, 株式市場において特定の時間に取引を行なう市場のことで, 普通, 取引量の少ない株式の取引を一定時間集積した上でクリアーする方法として用いられる. 中央銀行が市場調節のために参加している短期金利市場のことではない.

数料を割り引く，(d)コール市場取引に対するコミットメントを確保するために，キャンセルした人に対しては契約を実施した場合に生じたであろう損失と同額のキャンセル料をとる，というものである．

これまで，電子商取引の世界では，価格を所与とした取引を考えてきたので，24時間取引は魅力的なものであったが，価格が各時点の需給で決まるような市場では，必ずしも，時間軸を24時間に分散した市場が効率的ではないということが示されている．ある市場に，世界中から空間的距離を意識せずに取引に来るという空間的集積だけではなく，時間的集積も考えようという発想は極めて重要な知見であると思われる．それが，市場の流動性を増加させ，市場価格形成の効率化を生むなど望ましい効果を上げるということであれば，新しいマーケット・マイクロストラクチャーとして検討する価値は十分にあると思われる．

# Appendix 9　情報技術革新と規模の経済性に関する概念整理

　情報技術革新の進展によって，銀行の規模の経済性[43]が高まり，その最適規模は拡大するとの見方がある．こうした見方は，経済学的にはどのように捉えることができるのであろうか．内田・大谷・川本［2000］は，ミクロ経済学のフレームワークを使って，銀行の費用関数の観点から，情報技術革新と銀行業の規模の経済性との関係について概念整理を行っている．以下では，その概要を紹介したい．

**銀行の費用曲線と情報技術革新の影響**

　短期的に銀行の規模が変わらないとすると，銀行は，現在の規模[44]に見合った最適な固定費用，可変費用の組み合わせを選択すると考えられる．こうした最適な組み合わせを反映して，短期総費用曲線が決定される．

　時間の経過とともに規模が変化するとすれば，この銀行の長期総費用関数は，銀行の短期総費用関数の包絡線として定義される（図A9-1）．

　情報技術革新の進展によって，コンピューターの処理能力が急速に拡大しているほか，通信能力も飛躍的に拡大している．こうしたIT投資は現状では，大規模行を中心に行われており（図A9-2），（技術的条件のみを考慮した場合には），IT投資額と情報技術革新の成果が比例関係にあるとすれば，情報技術革新の成果を大規模行ほど享受する構造になっていると考えられる．このため，銀行の規模が大きくなり，より多くのIT投資を行うとすれば，規模が小さい

---

[43]　規模の経済性の定義としては，Saunders［2000］に基づき，産出の増加に伴って平均費用が低下する状態とする．

[44]　銀行の規模については様々な議論があるが，ここでは銀行業務全体では総資産，個別業務に関しては決済処理，貸出額を考える．

Appendix 9 情報技術革新と規模の経済性に関する概念整理　165

図 A9-1　銀行の長期総費用関数

（短期総費用関数／長期総費用関数のグラフ）

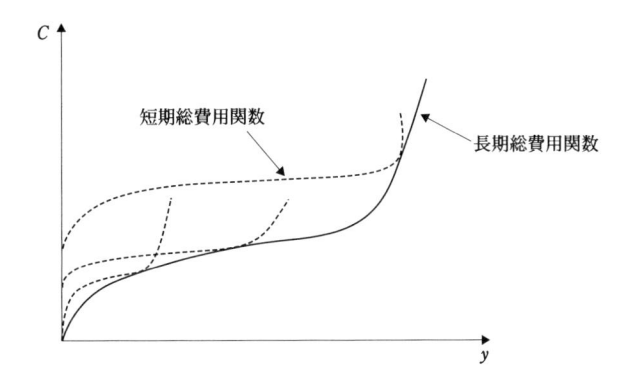

図 A9-2　IT 投資の現状

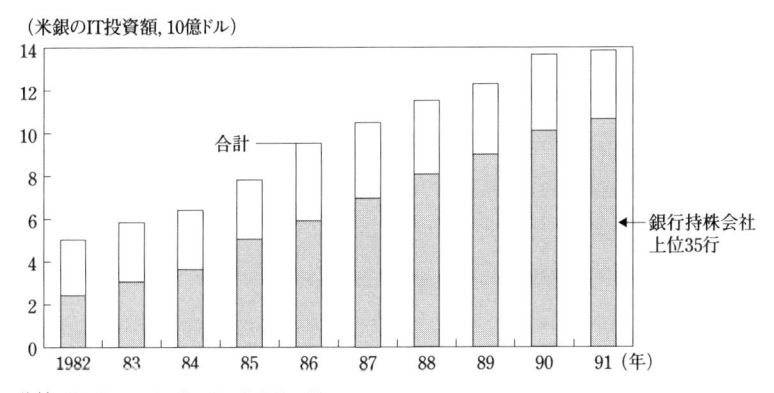

（米銀のIT投資額, 10億ドル）
合計
銀行持株会社上位35行
1982 83 84 85 86 87 88 89 90 91 (年)

資料：*The Economist*, October 3, 1992, p.21.

場合よりも規模の大きな場合の方が，固定費用が増加するが，少なくとも限界費用の逓増度合いがより低下するとみられる（図 A9-3）．したがって，長期総費用関数は，情報技術革新以前に比べると，規模が大きくなればなるほど，凸性（convexity）が低下し，銀行のサイズが大きくなればなるほど，平均費用は低下することになる（図 A9-4）．この結果，情報技術革新によって規模の経済性は高まることになる．

図 A9-3　規模別でみた IT 投資による短期総費用関数の変化

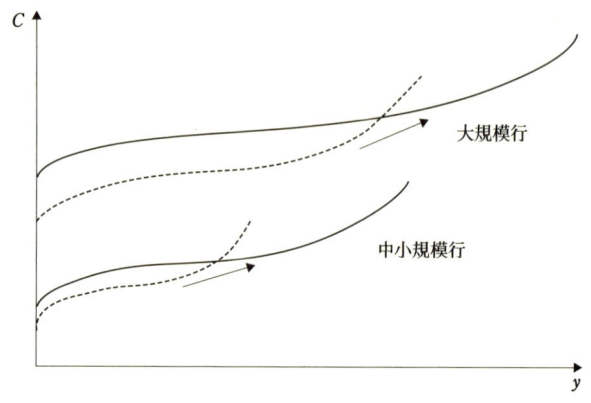

図 A9-4　IT 投資と銀行の長期総費用関数

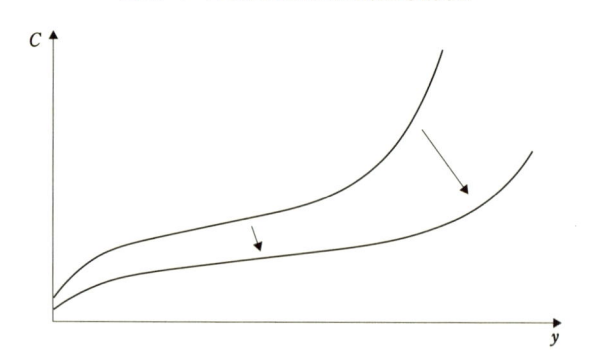

**情報技術革新と銀行の最適規模**

　このように，銀行の長期費用関数の形状が変化する結果，平均費用が最小化される最適規模は，情報技術革新によって，拡大することになる（図 A9-5）．
　以上の考察は，ある時点で情報技術革新が起こった場合と情報技術革新以前を比べた静学的なアプローチである．しかし，現実には，第3章第1節でみたように，情報技術革新は急激なテンポで進展している．そこで，情報技術革新が進展し続けている場合を考えるために，上述の静学的な分析を動学的な分析

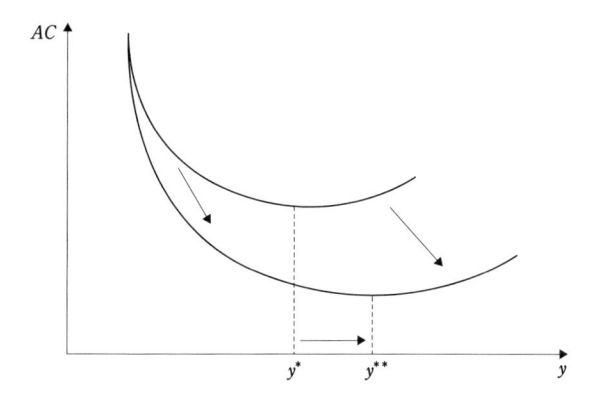

図 A9-5　IT 投資と銀行の平均費用関数

に拡張すると，技術的な条件のみを考慮した場合には，情報技術革新の進展によって，最適規模は拡大し続けることになる．しかし，現実には規模拡大に伴って意思決定にかかるコスト[45]が増加することから，ある規模のもとでは，技術進歩による平均費用の低下を規模拡大による（平均）内部コストの上昇が上回り，情報技術革新が続いたとしても，それ以上最適規模が拡大を続けることは困難になるとみられる．

---

45) 意思疎通にかかるコストは E メール等の技術革新の結果低下すると考えられるが，最終的な経営方針の決定は人が行わざるを得ず，規模拡大に伴って，そうしたコストは上昇するとみられる．

# Appendix 10　金融政策の波及経路

　金融政策は，様々なルートを通じて，実体経済や物価に影響を及ぼす．近年,多くの経済学者や中央銀行によって，こうした金融政策の波及経路に関する研究が行われており，本論でも，こうした研究成果に基づいて，いくつかの代表的な波及経路の有効性が情報技術革新によってどのような影響を受けるのかについて論じている．

　金融政策の波及経路については，どの効果をどの経路として定義するかによって，経済学者の間で若干の違いはあるが，例えば，Mishkin [1995]は，金融政策の波及経路を，①金利ルート，②為替レート・チャネル，③資産価格効果，④アベイラビリティ・ルート（クレジット・チャネル）の4つに分類している．以下では，本論で取り上げられている金融政策の波及経路を中心に，こうしたミシュキンの分類に基づいて，金融政策の波及経路に関する鳥瞰図を示すことにしたい．

①金利ルート

　多くの国では，中央銀行の操作目標は短期金融市場金利である（例えば，米国ではオーバーナイト金利であるFFレート）．金融政策によって生じた短期金融市場金利の変化は，預金金利や貸出金利，さらに，様々な裁定取引を通じて，金融市場での長めの金利に影響を及ぼす．こうした金利の変化が，企業の設備投資，住宅投資，耐久財消費支出，在庫投資に影響を及ぼし，それによって総需要，総生産が変化する．こうした波及経路を金利ルートと呼ぶ．

## ②為替レート・チャネル

アンカバーの金利裁定条件によれば，変動相場制下の為替レートの予想変化率は，自国と外国の長期金利格差とリスク・プレミアムによって決定される．したがって，金融政策は，長期金利への影響を通じて，為替レートにも影響を及ぼし，純輸出を変化させるという波及経路もある．これが，為替レート・チャネルである．

このように，為替レート・チャネルは，金利の変化を通じたルートでもあるため，金利ルートの一形態とする捉え方もできる．

## ③資産価格効果

株価，地価といった資産価格は，理論的には，その資産を保有することによって，現在から将来にわたって得られる予想収益の現在割引価値によって決まると考えられる．したがって，割引率である金利が変化すると，資産価格も変化する．こうした金融政策に伴う資産価格の変化は，企業の投資の決定[46]や，資産効果を通じて消費に影響を及ぼす．こうした金融政策の波及を資産価格効果と呼ぶ．

なお，資産価格効果も，金利を通じた効果でもあるため，為替レート・チャネルと同様，金利ルートの一つと考えることもできる．

## ④アベイラビリティ・ルート

アベイラビリティ・ルートとは，金融政策が企業をはじめとする借り手の資金調達可能資金量を変化させることによって，企業の設備投資や在庫投資などを動かし，実体経済に影響を及ぼすルートのことである．アベイラビリティ・ルートを通じた金融政策の波及効果は，貸し手・借り手間の情報の非対称性の存在によって生じるものであり，その波及のメカニズムとしては，銀行貸出を

---

[46] 資産価格の変動が企業の投資に影響を及ぼす代表的な考え方としては，トービンの $q$ 理論がある．トービンの $q$ 理論とは，企業の市場価値が，既存の設備の置換費用を上回れば，企業は新規に株式を発行し，投資を行うという考えである．

通じたチャネルとバランスシートを通じたチャネルの2つが考えられる.

　銀行貸出チャネルは,貸し手,その中でも特に銀行は情報の非対称性の問題が大きい中小・零細企業向け貸出に比較優位を持つと考えられる点に着目している.大企業は情報の非対称性の度合いが低いために,債券の発行等によって,直接,資本市場から資金を調達することが容易である一方,中小・零細企業は情報の非対称性の度合いが高いために,直接金融による資金調達は一般に難しい.このため,例えば,金融引締めによって,銀行貸出が減少すれば,中小・零細企業の資金調達可能額が減少し,当該企業の投資行動が制約されることになる.

　また,バランスシート・チャネルは,貸し手が情報の非対称性に対処するため,貸出に当たって借り手から担保を徴求する点に着目している.金融政策によって借り手の正味資産が変化すれば,担保価値も変化するために,貸し手の行動が変わり,借り手の経済活動に影響が及ぶことになる.なお,借り手の正味資産は,資産価格変動によって直接影響を受けるため,バランスシート・チャネルは資産価格効果と密接に関連している.

# Appendix 11　ドル化（Dollarization）

　国内において多くの金融資産が外貨建てで使用・保有される状態をドル化（Dollarization）と呼び[47]，その中には，①通貨代替（Currency Substitution，支払手段として外貨建て資産を使用）と，②資産代替（Asset Substitution，金融資産として価値保存のために外貨建て資産を使用）の2つの側面がある[48]．

**通貨代替**

　通貨代替（Currency Substitution）は，典型的には，ハイパー・インフレーションや通貨の切下げ予想等，自国経済の混乱により自国通貨への信頼が失われたために，自国民の自発的な選択により支払手段として外貨を使用するようになった状況を指し，価値が安定的な通貨が非安定的な通貨を代替する現象である[49]．

　1970年代後半以降に，ラテンアメリカ諸国，ロシア・東欧で発生したのが通貨代替の顕著な例である．これらの国では，広義マネーサプライに対する国内金融機関内外貨預金の割合が50％以上に達することもあるなど，かなりの程度で通貨代替が進んだ経験を有する．

　ラテンアメリカ諸国における通貨代替の特徴として，ハイパー・インフレーションの沈静後も継続またはさらに進行したことが挙げられるように，ある変

---

[47]　ドル以外の通貨が国内で使用される場合も，Dollarizationと呼ぶ．
[48]　ただし，研究者により多種多様な定義がなされており，必ずしも統一的な定義が確立していないことに留意しておく必要がある．
[49]　鋳造貨幣に対するグレシャムの法則（Gresham's law）の逆の事象として，「良貨が悪貨を駆逐する」という意味でグレシャムの法則II（Gresham's law II）と呼ぶ例もある．

化の原因となった事象が消滅した後も元の状態に復元しない現象は履歴効果（hysteresis）と呼ばれ，その主な要因として以下の3つが挙げられている．

①制度や慣行の変更

決済通貨の変更は，制度や慣行の変更を伴うことが多く，時間やコストを要するため，決済通貨を元に戻すことにより大きな利益が得られなければ，各経済主体は取引手段の変更を行わない．

②経済主体の習熟度

外貨建て資産への投資を含め，新しい金融商品を利用するためには，その習熟にある程度の時間とコストがかかるため，一度習熟のために時間やコストを投資した後は，新しい金融商品を使い続ける．

③通貨の公共財としての性格

通貨は公共財であり，普及するにつれてその取引コストが下がる性格があるため，いったん外貨建て資産が普及した後には通貨の変更は発生しにくい．

また，通貨代替が進展した場合，貨幣需要関数の不安定化により為替レート変動のボラティリティーは増大することが多く指摘されている[50]．

## 資産代替

一方，資産代替（Asset Substitution）は，単に価値保存手段として外貨建て金融資産に投資することであり，高リターンを求めた成長市場における金融資産への投資や，保有資産のリスクヘッジのための国際的分散投資によって，自国経済が安定した状態でも金融の高度化やグローバル化に伴い発生する現象である．

例えば，統一通貨ユーロ導入前の欧州先進諸国では，他の欧州諸国への預金

---

50) 完全通貨代替の場合には，そもそも為替レートが非決定となることは様々な研究者が指摘している．

シフトの割合が比較的高く，居住者保有海外預金の広義マネーサプライに対する割合は5〜15％程度で推移していたことが知られている．この主な理由は，1980年代半ば以降EU諸国では域内資本移動が大幅に自由化される下で，国内の各種規制や税負担の存在が海外預金の魅力を相対的に高めたことが挙げられている．

ラテンアメリカ諸国の場合は，まず資産代替の側面から外貨の使用が進み，その後，長期間の高インフレやハイパー・インフレの発生により通貨代替が起こるという経過を辿っているとの指摘も聞かれる．

# Appendix 12 自国財に関するホームバイアスについてのサーベイ

　国際貿易において,「国境」が存在することのインパクトはどの程度なのであろうか．この点については，これまで数々の分析が行われている．ここでは，それらのうちの主だった分析について，大谷・川本・久田 [2001b] に沿って紹介する．

　まず，McCallum [1995] は，米国，カナダの都市に関して，米国国内，カナダ国内での財取引と，クロスボーダーでの財取引を，gravity 方程式を使って計測した．この gravity モデルは，2国間の貿易量の決定に関するモデルであり，両国間の距離が遠くなれば，輸送コストが高まり，価格が上昇することから，貿易量は減少する関係を用いて分析するものである．この結果，同じサイズ (GDP)，同じ距離の場合，同一国内での財取引の方がクロスボーダー取引よりも22倍大きいことが示された．この結果を踏まえ，マッカラムは，文化，言語，制度の点で類似性が高く，世界の中で最も国境の要因が小さいと考えられるうちの1つである米国とカナダ間でさえ，国境の要因が貿易に関しては依然として重要であるとしている．この結果はまた，それ以外の国同士の貿易については，米国とカナダの間以上に国境の存在が重要となってくることを示唆している．

　また，Engel and Rogers [1996] も，米国とカナダの都市における貿易財価格について，一物一価の不成立は，都市間の距離（輸送コストの代理変数），国境要因によるものとの認識に立ち，実際の価格の一物一価からの乖離をこれらの要因を使って計測した．この結果，両国間における PPP (Purchasing Power Parity：購買力平価) 不成立には，都市間の距離だけでなく，国境の存在が大きく影響しており，国境の存在は距離になおすと 2,500～23,000 マイ

ルに相当すると結論付けている.

このように,いずれの実証分析でも,「国境」の存在が貿易に大きなインパクトを及ぼすことが示されている.

# Appendix 13　貿易理論からみた生産要素移動と貿易量の関係

　生産要素の取引によって，財貿易はどのように変化するのであろうか．以下では，この点について，ヘクシャー=オリーン・モデルと Jones［1971］によって詳しく紹介された特殊要素モデル[51]を用いた理論的な整理を，大谷・川本・久田［2001b］に沿って紹介する．

**ヘクシャー=オリーン・モデル**

　自国と外国を考え，生産要素は資本と労働の2種類，財は衣料品と機械とする（2×2モデル）．ここで，自国は労働が豊富（外国は資本が豊富），衣料品は労働集約財（機械は資本集約財）と仮定する．自給自足経済のもとでは，賃金は自国が外国よりも低く，資本収益は自国の方が高いことになる．貿易が開始されると，自国は衣料品，外国は機械を輸出する．貿易によって，国内における衣料品の相対価格は上昇するため，自国では賃金が上昇，資本収益は低下（外国はその逆）する（これは，ストルパー=サミュエルソン定理[52]より導かれる）．したがって，貿易によって，労働が自国から外国に移動，また，資本が外国から自国へと移動するインセンティブは低下，ないし完全に消滅する[53]ことになる．別の見方をすれば，生産要素の移動は要素賦存量を均等化するため，貿易は発生しない．

---

51) 特殊要素モデルでは，資本，土地，労働の3つの生産要素あり，資本と労働を使って機械，土地と労働を使って食料品を生産すると仮定する（3×2モデル）．さらに，労働は両部門間を自由に移動するものとする．
52) ストルパー=サミュエルソン定理とは，財価格と要素価格の関係を表わしたものであり，ある財の価格が上昇した場合は，その財を生産するために集約的に使用される生産要素（上述の例で言えば，衣料品の場合は労働）価格は上昇することになる．
53) 完全に消滅する場合は，要素価格が完全に均等化するケース．

以上のように，ヘクシャー＝オリーン・モデルでは，生産要素の移動は貿易量を減少させる（生産要素移動と貿易は代替関係にある）ことになる．

**特殊要素モデル**

自国と外国の2ヵ国を仮定する．そして，移動不可能な生産要素（土地），移動可能な生産要素（資本），そして労働があり，土地と労働を用いて食料品，資本と労働を用いて機械を生産すると考える．ここで，自国の方が外国よりも土地が豊富であると仮定する．

この時，自給自足経済のもとで開拓によって土地が増加した場合の効果をみると，食料品部門での労働の限界生産性が上昇し，賃金が両部門で上昇する（労働は機械部門から食料品部門へ移動）．この結果，最終財価格が不変とすれば，土地と資本の収益率は低下する．一方，土地の増加は機械に比べて，食料品の生産を増加させるため，食料品の相対価格は低下する．この結果，土地の収益率は低下し，資本の収益率は上昇する．これらの影響を併せると，自国での土地の収益率は外国よりも低く，資本の収益率については，高い場合も低い場合もあり得る．したがって，資本がクロスボーダーで移動する場合の財貿易への影響については，①自国の方が土地の収益率のみ低い場合（資本の収益率と賃金は自国の方が高い）と，②自国の土地と資本の収益率が外国よりも低い場合（賃金は自国の方が高い）の二とおりについて，考察する必要がある．

①のケース（自国の方が土地の収益率のみ低い）については，貿易の開始によって，自国での土地の収益率は上昇し，資本の収益率は低下するため，資本が外国から自国に移動するインセンティブを低下させる．同様に，収益率格差に基づく外国から自国への資本の移動は貿易を低下させる．したがって，この場合は資本の移動は財貿易を減少させる（ヘクシャー＝オリーン・モデルと同様に，生産要素移動と貿易は代替関係にある）．

②のケース（土地，資本の収益率とも自国の方が低い）では，まず，自給自足の状態から貿易が開始されると，自国は食料品を輸出，自国での食料品の相対価格は上昇するため，土地の収益率は上昇する（資本の収益率は低下）一方，

外国では土地の収益率は低下する（資本の収益率は上昇）．したがって，貿易は資本が自国から外国に移動するインセンティブを高める．別の見方をすれば，収益率の違いから資本は自国から外国に移動し，外国の機械の輸出は増加する．このため，資本の移動は財貿易を増加させる（ヘクシャー=オリーン・モデルとは反対に，生産要素移動と貿易は補完関係にある）ことになる．

したがって，理論的には，生産要素取引は財貿易を拡大させる場合もある．

# Appendix 14　国際金融取引の現状

　理論的には，国際金融取引は，経済厚生を高めるといったメリットをもたらすと考えられるが，現実の国際金融取引は理論が示唆するほど進展していない．

　以下では，まず国際金融取引のメリットを指摘したうえで，国際金融取引がそれほど進んでいないことを示す証左として挙げられることの多い，ホームバイアス・パズルとフェルドシュタイン=ホリオカ・パラドックスに関する議論を，大谷・川本・久田［2001b］に沿って紹介する．

**国際金融取引のメリット**

　各国経済は，オイル・ショックのような全世界に共通なショックだけではなく，例えば地域的な天候不順等各国独自の（idiosyncratic）ショックを受ける．もし，ある国に独自のショックを多くの国で分散して負担・吸収できれば，各国の経済厚生は高まることになる．国際的な金融取引は，こうしたショックを分散するための保険と考えることができる．これについて，図 A14-1 を使って考えてみよう．世界は A と B の 2 ヵ国からなり，状態 1 が生じた時にある一定の消費財を引き渡すことを示す証券と状態 2 が生じた時にある一定の消費財を引き渡すことを定めた証券の 2 種類が存在している．A，B とも E で表わされる賦存量を与えられているとする．図 A14-1 から明らかなように，A，B が証券の交換をせずに得られる効用水準よりも，証券を交換することによって得られる効用水準（交換後の均衡は F 点）が高くなる．したがって，理論上，国際的な金融取引は各国にメリットをもたらすことになる．

図 A14-1　国際金融取引のメリット

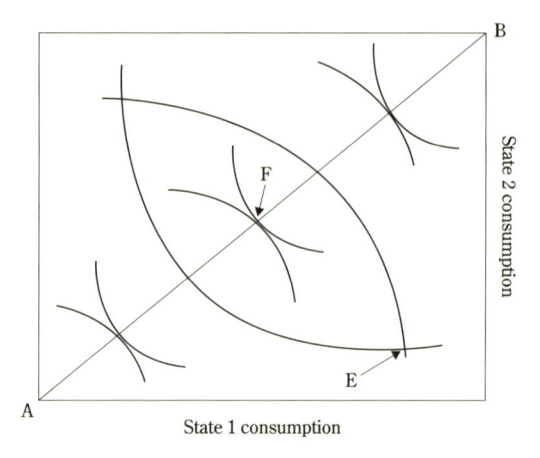

資料：Obstfeld [1995].

## 国際金融取引の現状

　では，金融取引のグローバル化はどの程度進展しているのであろうか．この問に対して，実際には理論が示すほどには金融取引は進展していないとの指摘が従来からあり，それを裏付ける現象として，ホームバイアス・パズルやフェルドシュタイン＝ホリオカ・パラドックスが挙げられる．

### ホームバイアス・パズル

　Lewis [1998] は米国と外国の株価収益率，株価変動を基に，CAPM（Capital Asset Pricing Model）を使って，米国投資家の理論上最も望ましい外国株の保有率を計算した．その結果，彼女は米国の投資家は総株式保有のうち約40％を外国の株式で保有することが望ましいとの結果を示している．しかし実際には，米国の投資家は8％程度しか外国の株式を保有していない．こうした現象をホームバイアス・パズルと呼ぶ．なお，こうしたホームバイアスの存在は各国の消費動向からも検証することができる．国際金融取引が完全に行われると，図 A14-1 から明らかなように，各国はF点で表わされる，無差別曲

表 A14-1　各国間における消費変化率の相関係数

|  | 米国 | カナダ | フランス | ドイツ | イタリア | 日本 | 英国 |
|---|---|---|---|---|---|---|---|
| 米国 | 1.00 | 0.70 | 0.44 | 0.36 | 0.22 | 0.26 | 0.51 |
| カナダ | — | 1.00 | 0.43 | 0.31 | 0.29 | 0.27 | 0.52 |
| フランス | — | — | 1.00 | 0.60 | 0.42 | 0.39 | 0.54 |
| ドイツ | — | — | — | 1.00 | 0.37 | 0.37 | 0.43 |
| イタリア | — | — | — | — | 1.00 | 0.38 | 0.35 |
| 日本 | — | — | — | — | — | 1.00 | 0.36 |
| 英国 | — | — | — | — | — | — | 1.00 |

資料：Lewis [1998].

線が接する点で消費を行う．ミクロ経済学の議論から明らかなように，F点では，各国間での消費の限界代替率が等しい．この時，各国の効用関数が相対的危険回避度一定の形で表わされるとすれば，各国間での消費の変化率は等しくなる[54]．しかし実際のデータをみる限り，こうした傾向は全く窺われない（表A14-1）．

**フェルドシュタイン=ホリオカ・パラドックス**

もし金融取引のグローバル化が進展していれば，各国の貯蓄は世界を自由に移動し，最も収益性の高い国に資本は流入することになる．この場合には，一国の貯蓄の増加が，当該国の資本蓄積の原資となることはなく，一国の投資率は当該国の貯蓄率によって影響を受けないと考えられる（Feidstein and

---

[54] まず，以下のように，全世界（$j=1 \sim J$ 国）の無限期間での効用を最大化させるようなソーシャル・プランナー問題を考えてみよう．

$$\max \sum_{j=1}^{J} \lambda^j \sum_{t=1}^{\infty} \rho^t \sum_{s^t} \pi(s^t) u(c^j(s^{ts}))$$

$$\text{s.t.} \sum_{j=1}^{J} c^j(s^t) \leq \sum_{j=1}^{J} y^j(s^t)$$

ここで，$\lambda^j$ はソーシャル・プランナーの $j$ 国の効用にかかるウェイト，$\rho$ は割引率，$s^t$ は $t$ 期の状態，$\pi(s^t)$ は $s^t$ が起こる確率，$c^j$ は $j$ 国の消費量，$y^j$ は $j$ 国の要素賦存量を表わす．この最適化問題の一階の条件は，$\rho^t \lambda^j u_c(c^j(s^t)) = \mu(s^t)$ となる（$\mu$ はラグランジェ乗数）．この条件はどの期についても当てはまるため，$t$ 期と $t-1$ 期の比率を取ると，$\rho u_c(c^j(s^t))/u_c(c^j(s^{t-1})) = \mu(s^t)/\mu(s^{t-1})$ となる．この時，効用関数を $u(c_t) = c_t^{1-\gamma}/1-\gamma$ と仮定し，一階の条件の $t$ 期と $t-1$ 期の比率に代入し，対数をとると，$\Delta c_t^j / c_{t-1}^j = \Delta c_t^i / c_{t-1}^i$ となる．したがって，$j$ 国と $i$ 国の消費の変化率は等しくなる．

Horioka [1980]）．しかしながら，実際のデータからは国内貯蓄率と国内投資率には強い相関が検出されており，金融取引のグローバル化が進展している姿とはほど遠いものとなっている．こうした現象は，Feidstein and Horioka [1980] にちなんで，フェルドシュタイン=ホリオカ・パラドックスと呼ばれている．

# Appendix 15　国内における複数通貨の併存

　グローバル化の進展によって，ドル化が進行する可能性が考えられるが，そもそも，一国の中で複数の通貨が決済通貨として流通する世界があり得るのだろうか．Matsui and Shimizu [2000] は，ミクロ的基礎を持つモデルを用い，複数通貨が同時に決済通貨として流通する均衡があることを示している．以下では，Matsui and Shimizu [2000] の概要を紹介したい．

　まず，単一通貨のケースについてミクロ的基礎まで立ち戻ったモデルを構築し，そのモデルを複数通貨に拡張する．

## 単一通貨のケース

### モデルの基本的な枠組み

　モデルの基本的な枠組みは以下のとおりである．財は $K$ 種類存在し，これらの財は貯蔵できず分割不可能である．他方，貨幣（Fiat Money）は財と違って貯蔵可能であり，分割可能である（この貨幣の名目残高を $M$ と表わす）．経済主体（Agent）の数は，0 から 1 までの区間で連続的に表現され，$K$ 種類存在する．$k$ 番目のタイプの経済主体は $k+1$ 番目のタイプの経済主体が消費したい $k+1$ 財を生産する一方，タイプ $k$ の消費したい $k$ 財はタイプ $k-1$ の経済主体が生産する．そして，タイプ $k$ の経済主体が $k$ 財を消費すると効用 $u$ を得る（なお，ここでは物々交換はできず，同じ経済主体間で財の売買が同時に成立することはなく，必ず貨幣を使って財の取引が行われる）．

　各主体が財の売買を行うには，取引の場（Market Place）に行かなければならない．取引の場は多数存在し，それぞれの場は A サイドと B サイドの 2 つに分かれているとする（A サイドに行った主体と B サイドに行った主体が

図 A15-1　経済主体が3タイプの場合の財の売買関係

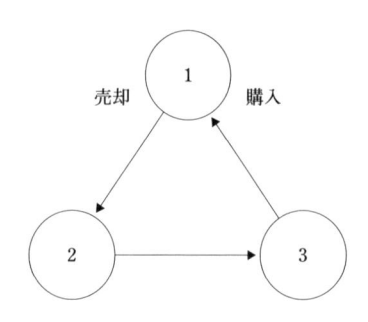

その間で財の売買を行うことができ，同じサイドにいる主体同士では売買はできない)．

**取引のステップ**

経済主体は次のようなステップを踏んで行動する．各経済主体は各期初に，多数の取引の場のうちどこに足を運び，さらにその場の A，B のどちらのサイドに行くかを選択する（Stage 1)．

それぞれの取引の場に経済主体が足を運ぶと，A サイドに行った主体と B サイドに行った主体のランダムな組み合わせ（マッチング）が発生する

図 A15-2　A サイド・B サイドの選択

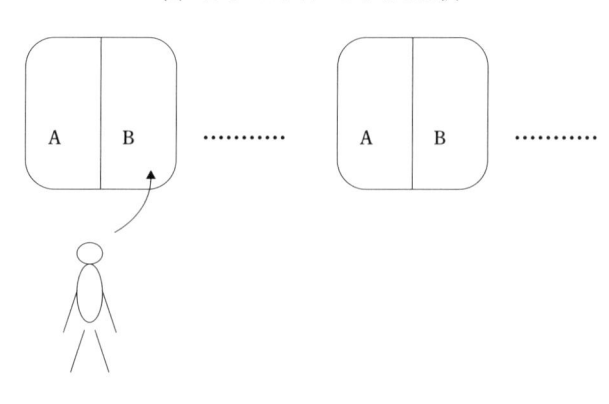

(Stage 2). そしてランダムな組み合わせによって，タイプ $k$ の主体とタイプ $k+1$ の主体が出会った場合には[55]，タイプ $k$ の主体はタイプ $k+1$ の主体が欲しがっている第 $k+1$ 財を生産しているので，第 $k$ 財の売り手として行動する一方，タイプ $k+1$ の主体は財の買い手として行動する．なお，買い手の数が売り手の数を上回った場合，両者の差の人数分だけの買い手は取引を行うことができない．このように，両サイド間の人数に不均衡がある場合には，割当て（rationing）が発生すると仮定する（Stage 3）．こうして売り手と買い手が出会い，売り手がオファーする価格 $P_S$ が買い手がビッドする価格 $P_B$ 以下の場合，価格 $P_S$ で取引が発生する（Stage 4）．

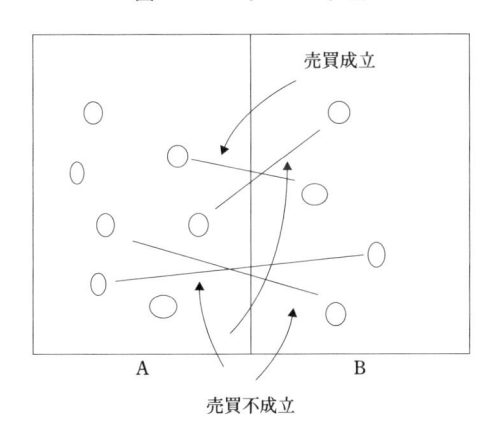

図 A15-3　マッチングの発生

## 均衡の定義

各経済主体は，保有している貨幣残高のもとで，どの取引の場を選択するか，自分が財の売り手のときオファー価格をいくらにするか，自分が財の買い手のときビッド価格をいくらにするかといった戦略を決めたうえで，実際の行動をとる．ここで，保有している貨幣残高のもとで各主体の戦略が変化しない状態

---

[55] 当然のことながら，組み合わせにより，タイプ $k$ の主体がタイプ $k+1$ 以外の主体と出会った場合には，売買は成立しない．

を定常均衡と呼ぶ．いかなる戦略も，定常均衡のもとで各主体によって選択される戦略よりも大きな効用を生むことはない．

**均衡の存在**

このモデルの均衡は無数に存在するが，ここではすべての財に $p$ という同一の価格の付いている均衡について考える．

実質貨幣残高 $M/p$ を $m$ と表わす．この時，貨幣を $p$ 単位保有している人が $m$ だけ存在し，貨幣保有量ゼロの人が $1-m$ の割合だけ存在している場合を考えてみよう．例えば，貨幣を $p$ 単位保有しているタイプ $k$ の主体は，$k$ 番目の取引の場の B サイドに行き，買い手として行動し，ビッド価格 $p$ を提示する戦略をとる一方，貨幣を保有していないタイプ $k$ の主体は，$k+1$ 番目の取引の場の A サイドに行き，売り手として行動し，オファー価格 $p$ を提示する戦略をとるとしよう[56]．この時，もし，$m$ が 1 以下 ($p \geq M$) であれば，$m$ の大きさによっては割当にあう場合もある[57]ものの，各主体とも戦略を変更することから得られるメリットは存在しなくなる．したがってこの場合は均衡状態と呼ぶことができ，以上のモデル設定の下で均衡が存在することが分かる．

**複数通貨のケース**

上述の単一通貨のモデルを，複数通貨の場合に拡張する．ここでは，複数通貨として $O$ と $O^*$ という 2 種類の貨幣が存在する状況を想定し，それぞれの通貨を使って取引ができる取引の場は異なると仮定する．

以下では，すべての財に $p$, $p^*$ という同一の価格の付いている場合を考えてみよう．それぞれの名目貨幣残高は $M$, $M^*$ とし，実質貨幣残高を $m = M/p$,

---

56) タイプ $k+1$ の主体は，もし $p$ 単位の貨幣を保有していれば，$k+1$ 番目の取引の場の B サイドに行き，買い手として行動し，ビッド価格 $p$ を提示する戦略をとる一方，貨幣を保有していない場合には，$k+2$ 番目の取引の場の A サイドに行き，売り手として行動し，オファー価格 $p$ を提示する戦略をとるというように，対称的な戦略をとると仮定する．

57) 例えば，$m=1/2$ の場合は，売り手と買い手の数がすべての取引の場で同じになるため，割当は発生しない．しかし，$m<1/2$ の場合は，売り手に比べて買い手の数が少ないため，売り手に対して割当が発生する．

$m^* = M^*/p^*$ と表わす．また，$n$ という割合の人が $0$ という貨幣を使い，$n^* = 1 - n$ の割合の人が $0^*$ という貨幣を使うとする．このとき，$0$ と $0^*$ のどちらの貨幣を使っても，財を売買できる確率が同じであれば，$0$ という通貨を使っている主体が $0^*$ の通貨を使った取引を行うインセンティブはない（同様に，$0^*$ を使っている主体が $0$ という通貨を使い始めることはない）．したがって，この時，2通貨が併存する状態が均衡となる．

この場合の条件は，$0$ という貨幣を使う主体とその中のうち通貨を保有している主体の比率が，$0^*$ という通貨を使う主体とその内の通貨を保有している主体の割合が等しくなるということである（$\frac{m}{n} = \frac{m^*}{n^*}$）．なぜ，これが条件となるのかについて考えてみよう．例えば，$\frac{1}{2} > \frac{m}{n} > \frac{m^*}{n^*}$ であれば，両方の通貨を使った場合とも，買い手の方が売り手よりも少なく，売り手に対して割当が発生している．しかし，売り手として $0^*$ を使っている主体は $0$ を使った方が割当の確率が小さくなるため，$n^*$ は減少し，$n$ が増加することになる．こうした移動は，$\frac{m}{n} = \frac{m^*}{n^*}$ が成立するまで続き，均衡ではこの条件が成立することになる．

# Appendix 16　不確実性下での金融政策運営

　経済学の言う「不確実性」は，金融政策に対しどのようなインプリケーションを持つのだろうか．大谷・川本・久田［2001a］は，「不確実性」を，①パラメータの不確実性（ある変数の変化が他の変数にどのような影響を与えるのかに関して，政策当局が正確に把握できない場合），②経済データの不確実性（政策当局が真の経済状況を正確に把握できない場合），③モデル選択に関する不確実性（政策当局がマクロ経済の構造を正確に判断できない場合），の3種類に分類し，そのもとでの金融政策運営のあり方について議論している．以下では，まずベンチマークとして加法的不確実性（パラメーター・経済状態・モデル選択に関する不確実性は存在していないものの，政策当局が把握できないランダムなショックが加法的に経済変数に直接影響を与える場合）をみたうえで，上記3種類の不確実性のもとでの金融政策運営のあり方に関する議論を紹介しよう．

### ①加法的不確実性（additive uncertainty）と確実性等価の原則

　まず議論の出発点として，「加法的不確実性」のみが存在する場合を考えよう．モデルは次の2本の方程式から成る．

$$\pi_{t+1} = a\pi_t + y_{t+1} \quad (0 < a < 1) \tag{1}$$

$$y_{t+1} = -bi_t + \varepsilon_{t+1} \quad (b > 1) \tag{2}$$

ここで $\pi$ はインフレ率，$y$ は GDP ギャップ，$i$ は名目短期金利を表わす．(1)式はフィリップス・カーブ，(2)式は IS 曲線である[58]．$\varepsilon$ がいわゆる加法的シ

---

58）　なお，(2)式では，名目短期金利が GDP ギャップに影響を及ぼすと仮定してあるが，本来は実質短期金利が GDP ギャップに影響を与えると考えるべきであり，$y_{t+1} = -b(i_t - \pi_t) + \varepsilon_{t+1}$ と

ョック (additive shock) であり，期待値 0，分散 $\sigma_\varepsilon^2$ の確率変数である．

(2)式を(1)式に代入すると，インフレ率に関する誘導形方程式が得られる．

$$\pi_{t+1} = a\pi_t - bi_t + \varepsilon_{t+1} \tag{3}$$

中央銀行は「インフレ率目標」を達成すべく名目金利を操作するものとしよう．すなわち中央銀行は(3)式の制約のもとで，「インフレ率の目標値からの乖離の 2 乗の期待値」を最小化するように行動する．ただし，ここでは簡単のためインフレ率目標値を 0 とする．

この最小化問題を解くと，次のような「最適な」政策反応関数を得る．

$$i_t = \frac{a}{b}\pi_t \tag{4}$$

これは，(2)式において，不確実性が存在しない場合 ($\varepsilon_{t+1}$ がない場合) の解と全く同じである．

これはかつて Theil が示した「確実性等価の原則 (Certainty Equivalence)」であり，加法的不確実性しか存在しない場合の最適な政策反応関数は，不確実性が存在しない場合の最適な政策反応関数と全く同一の形になる．言い換えれば，加法的不確実性のもとでの最適な政策は，その不確実性を考慮して政策運営を行う必要はないということになる．

### ②パラメータの不確実性

パラメータの不確実性の典型的なケースは，中央銀行が(3)式中の $b$ の値を正確に知ることができず，実質利子率の変化が GDP ギャップやインフレ率をどれだけ変化させるかに関して不確実性が存在する場合である．こうした状況において中央銀行はどのように金融政策を運営すべきだろうか．

中央銀行は，(3)式中のパラメータ $a$，$b$ に関して正確な値は分からないが，それぞれが平均が $\bar{a}$，$\bar{b}$，分散が $\sigma_a^2$，$\sigma_b^2$ という独立な正規分布に従う確率変

---

すべきである．しかし，以下では，モデルの簡便さの観点から，Batini, Martin, and Salmon [1999] に則り，(2)式を採用して議論を進める．なお，こうした IS 曲線の定式化のもとでの議論については，Svensson [1997] を参照されたい．

数[59])であることだけは知っているとしよう.このとき,望ましい政策反応関数は,最小化の一階の条件より,

$$i_t = \frac{\overline{ab}}{\overline{b}^2 + \sigma_b^2} \pi_t \tag{5}$$

となる.これは,(4)式に比べると若干複雑であるが,要するに,金融政策に対するインフレ率の反応についての不確実性が高まれば(すなわち,$\sigma_b^2$ が拡大),インフレに対する金利の最適な調整は小幅になる.これが,Blinder [1998] の言う「政策の乗数効果に関して不確実性がある場合には,政策当局は慎重な(conservative)政策を行うべきである」という原則(Brainard Conservatism Principle)である.

なお,中央銀行が(5)式に従って政策運営を行うと,(来期の)インフレ率[60]はその期の内にインフレ率目標値(この場合は0)に収束せず,来期でも金融政策は残存する当初のショックの影響に対して反応しなければならない.これが,パラメータの不確実性が存在する場合に「漸進主義(Gradualism)」が最適な政策となる所以である.

### ③経済データの不確実性

次に,経済統計の計測誤差,統計公表のラグや改訂作業,潜在 GDP のようにそもそも「直接」計測することのできない経済変数,などの存在によって,「真の経済状態」が正確には把握できない場合,金融政策はどのように運営されるべきだろうか.

Chow [1977] は,この種の不確実性が「加法的誤差」として扱える場合,それは最適な政策反応関数に影響しないことを論じた.これを上のモデルに即して考えてみよう.中央銀行は,(2)式ではなく,次の(2′)式を用いて政策判断を行っていかなければならないとする.

---

59) パラメーター間に相関がある場合には,必ずしも Brainard Conservatism Principle (Brainard [1967])が成立するとは限らない.
60) モデルの設定により,当期の名目短期金利の変更は来期のインフレ率に影響を与える.

$$\hat{y}_{t+1} = -bi_t + \varepsilon_{t+1} + \eta^y_{t+1} \quad (b>1) \tag{2'}$$

ここで，$\hat{y}$ は GDP ギャップの観察値であり，$\eta^y$ は真の GDP ギャップと観察された値との間の計測誤差を表わす．このとき中央銀行は，観察された GDP ギャップに関して，①で検討した加法的誤差（additive error）$\varepsilon_{t+1}$ と計測誤差 $\eta^y_{t+1}$ を峻別することができない．にもかかわらず(1)と(2′)のもとにおける最適な政策反応関数は(4)式のままであり，①で検討したケースと同一となる．すなわち，以上で検討した例では，GDP ギャップに関する計測誤差の存在は，最適な政策反応関数に何ら影響を与えない．これが Chow の論じたケースである．

しかし，以上の結果は常に成立するわけではない．とりわけ，異なった政策対応を必要とする複数の加法的不確実性が存在する場合，計測誤差の存在は最適な政策反応関数をより conservative なものにすることが知られている（Aoki [1999]）．例えば，インフレ率の計測値が上昇したとき，これが供給ショックを反映したものなのか，需要ショックを反映したものなのか，あるいは単に計測誤差によるものなのかは明らかではない．ここで中央銀行はインフレ率のみでなく実質 GDP の安定も目的としているとしよう．このとき，インフレ率の上昇すべてを需要ショックに起因するものと見做し，金利を大きく引き上げたとすれば，それは大きな政策ミスにつながる可能性がある．このため，最適な政策反応関数は計測誤差の存在しない場合に比べてより conservative なものになる場合があることになる．

**④モデル選択に関する不確実性**

これまでは，中央銀行がマクロの経済構造を把握しているとして分析を行った．しかし言うまでもなく現実の経済は極めて複雑であり，中央銀行が経済構造を正確に知っていないと仮定する方が現実的ではあろう．さらに，情報技術革新が経済構造自体を変化させているのであれば，こうしたモデル選択に関する不確実性はより深刻になる．

このようなモデル選択に関する不確実性のもとでは，どのような金融政策運

営が望ましいのだろうか．考え方の1つは，多くの現実的なモデルの中でより良いパフォーマンスを達成する政策を採用すべきである，というものである．

そうした意味での頑健な（robust）政策に対する研究としては，まず，Sargent［1999］がある．彼は，政策当局が把握できない外的ショックがあり，そのショックが様々な変動を起こす場合を比較し，最悪のケースのもとで最良の結果をもたらす政策を採るとの観点（min-max problem）からシミュレーションを行った．その結果，積極的な政策運営が最も頑健であるとの結論を導き出している[61]．また，Hansen and Sargent［2001］は，様々な種類の動学的マクロモデルのもとでも，積極的な政策対応が望ましいとの結論を導き出している．一方，Taylor［1998］は，いくつかのマクロモデルのもとで，積極的な金融政策と慎重な金融政策のパフォーマンスの比較を行ったが，その結果は区々であり，特定の政策スタイルが優位性を持つとの結論は得られないとしている．このように，この問題に関してはまだ研究が始まったばかりであり，学界でも明確なコンセンサスは得られていない．

以上みてきたように，不確実性をどう捉えるかによって，金融政策運営のあり方は大きく異なっており，特に，モデル選択に関する不確実性のもとでの政策運営については，コンセンサスすら得られていない．

---

[61] Sargent［1999］の結論は，直感的には，最悪の事態に備えて保険をかけるには，積極的な政策変更が必要であることを言っているとの解釈が可能である．

# Appendix 17　情報技術の影響に関する具体的事例と不確実性の関係

　第Ⅱ部で取り上げた情報技術革新の具体的事例は，どのような不確実性をもたらすのであろうか．

　大谷・川本・久田［2001a］は，Appendix 16にあるように，不確実性を①パラメータの不確実性，②経済データの不確実性，③モデル選択に関する不確実性の3つに分類している．以下では，これら3つの不確実性と，電子商取引の影響，マクロ経済の変化，金融面の変化との関連について整理を行う．

**①電子商取引と不確実性**

　第4章でみたように，電子商取引では流通部門の簡素化による価格の下落が起こっており，電子商取引が物価指数に適切に取り込まれない場合には，物価指数の上方バイアスが深刻化する可能性がある．これは経済データの不確実性を生むことになる．また，こうした電子商取引による価格の下落を受けて，消費者が低価格志向を強める場合には，消費の価格弾性値が上昇することになり，これはパラメータの不確実性を生じさせる．さらに，電子商取引によって，最終消費者と生産者との直接取引が容易になり，従来型の流通部門の「中抜き」が行われやすくなるほか，企業間取引の代表的な形態である系列・下請け取引や多国籍企業の経営形態にも変化が生じる可能性がある．こうした取引形態の変化は，ある種の経済モデルに関する不確実性をもたらすかもしれない．

**②情報技術革新によるマクロ経済の変化と不確実性**

　第7章で指摘したように，情報技術革新が進展するもとでは，「生産性パラドックス」に象徴されるように潜在成長率のリアルタイムでの把握が一層困難

になり，この面でも経済データの不確実性を生むことになる．さらに，IT関連投資の広範化によって，設備投資の投資弾力性も変化するとの指摘もみられるなど，新たなパラメータの不確実性を生じさせる．

### ③情報技術革新による金融面の変化と不確実性

情報技術革新によって，マネタリーベース需要が構造的に減少していく中で，中央銀行の短期市場金利に対するコントローラビリティーが失われないとしても，その市場規模の縮小により，短期市場金利の実体経済活動への影響力が低下する可能性があるが，それがどの程度低下するか不透明である．また，金融市場の発達等によって金利を通じた金融政策の波及経路の重要性が高まるとしても，どの程度その効果が高まるかは先験的には把握しにくい．これは，明らかにパラメータの不確実性を生じさせることになる．さらに，新型金融商品が登場することによって，実体経済と安定的な関係を持ったマネーサプライ統計の作成が困難になることは，経済データの不確実性が新たに生じることになる．

# Appendix 18　マネタリーベース残高がゼロになった場合の金利コントロール

　現実の世界では，法定準備率の引下げ（カナダ等では法定準備率をゼロにまで引き下げている），決済システムの安全性や効率性の高まり，政府短期証券市場の厚みと流動性の向上，さらにデビットカードやクレジットカードといった電子決済手段の普及を反映して，マネタリーベース残高に対する需要は長期的に低下している．

　そこで，以下では，思考実験として，準備預金制度が存在しない状況の下で，情報技術革新の進展により，マネタリーベース残高がゼロになった場合に[62]，中央銀行が金利を操作しうるのかについて検討する[63]．ここでの議論のポイントは，マネタリーベース残高がゼロの場合とは，インターバンク全体でのマネタリーベース残高がゼロであることを意味し，各銀行の諸決済のためのマネタリーベース需要がゼロであることを意味するわけではない点である．

　まず前提条件として，民間銀行は中央銀行に口座を持ち，銀行間取引はその口座を使って最終的に決済されるものとする[64]．（現金・財政要因がないとすれば）中央銀行がインターバンク市場において資金供給・吸収しない場合には，総貸越額と総借越額は常に等しくなるため，決済資金が必要な銀行が資金を供給してくれる銀行を見つけることができれば，決済はすべて完了することになる．しかし，中央銀行がインターバンク市場で資金吸収を行った場合，民間銀

---

62) 言うまでもなく，中央銀行が最終時点で資金供給を行う際の金利が余りにも高い場合や，最終時点で日中の吸収額と同じ額の資金供給を行うとの信認が市場参加者にない場合には，各銀行のストックベースでのベースマネー需要は正となり，ゼロにはならないことになる．
63) 以下の議論は，林・大谷・川本 [1999] に，Henckel, Ize, and Kovanen [1999] の内容を加味したものである．
64) 個別銀行の赤残は認めないと仮定する．

行全体での総借越額は総貸出額を上回るため[65]，所要資金の調達をできない銀行は，決済を完了させるために，中央銀行から所要額の資金供給を受けなければならない．

　この時，民間のブローカーが中央銀行の提示する金利と異なる金利を提示して，資金貸借をマッチングさせることが可能となり，中央銀行の金利のコントローラビリティーが損なわれるかもしれない．しかし，こうした状況は現実には発生し得ない．なぜなら，中央銀行がマネタリーベースの独占的な供給者としての地位を保持し続ける限りにおいて，中央銀行はインターバンク市場での無制限の介入が可能であることが明らかであり，それ故に，民間銀行同士での貸借金利には中央銀行のアナウンスした金利から乖離する力が働かないと考えられるためである[66]．

---

65) 人為的に民間銀行全体での総借越額と総貸越額のインバランスを生み出すことができるのは中央銀行だけである．
66) 民間のブローカーが借り手の銀行の信用リスクを考え，それに加えして銀行ごとに異なる金利を提示することは当然起こる．その場合にも，依然として，中央銀行のアナウンスした金利がベースとなり，それに各行のリスクを加えたものが，市場で実現する金利となることは言うまでもない．

# 第II部　参考文献

池尾和人,「情報化と金融仲介」, *ITME Discussion Paper Series* No.51, 日本学術振興会, 未来開拓学術研究推進事業プロジェクト：電子社会と市場経済, 2000年.
池田信夫,『インターネット資本主義革命』NTT出版, 1999年.
石田和彦・川本卓司,「電子マネーとマネーサプライ」, *IMES Discussion Paper* No.2000-J-8, 日本銀行金融研究所, 2000年.
伊藤元重・松井彰彦,「企業：日本的取引形態」伊藤元重・西村和雄編『応用ミクロ経済学』東京大学出版会, 1989年.
内田真人・大谷聡・川本卓司,「情報技術革新と銀行業」, *IMES Discussion Paper* No.2000-J-16, 日本銀行金融研究所, 2000年.
大谷　聡・川本卓司・久田高正,「情報技術革新の進展と金融政策」, *IMES Discussion Paper* No.2001-J-1, 日本銀行金融研究所, 2001年a.
大谷　聡・川本卓司・久田高正,「インターネットの発達とグローバリゼーション」, *IMES Discussion Paper* No.2001-J-2, 日本銀行金融研究所, 2001年b.
大蔵省,「日本経済の効率化と回復策に関する研究会」報告書, 2000年.
翁　邦雄・白川方明・白塚重典,「金融市場のグローバル化：現状と将来展望」『金融研究』第18巻第3号, 日本銀行金融研究所, 1999年.
奥野正寛・鈴村興太郎・南部鶴彦編,『日本の電気通信 規制と競争の経済学』シリーズ現代経済研究5, 日本経済新聞社, 1993年.
北村行伸,「コンセプチュアライゼーションが経済に与える影響のメカニズムに関する展望――経済史および経済学からの論点整理」『金融研究』第16巻第4号, 日本銀行金融研究所, 1997年.
北村行伸・大谷　聡・川本卓司,「電子商取引の現状と課題：新しい仲介業の誕生と信頼形成」, *IMES Discussion Paper* No.2000-J-13, 日本銀行金融研究所, 2000年.
熊坂有三,「情報技術革新とは何か」『経済セミナー』11月号, 日本評論社, 1999年.
倉澤資成,「証券：企業金融理論とエイジェンシー・アプローチ」伊藤元重・西村和雄編『応用ミクロ経済学』東京大学出版会, 1989年.
黒田昌裕・野村浩二,「生産性パラドックスへの1つの解釈：Static and Dynamic Unit TFPの提案」『金融研究』第16巻第4号, 日本銀行金融研究所, 1997年.
国領二郎,『オープン・アーキテクチャ戦略 ネットワーク時代の協働モデル』ダイヤモンド社, 1999年.
白塚重典・中村　恒,「国際分散投資におけるホーム・バイアス・パズルを巡る諸論点」『金融研究』第17巻第2号, 日本銀行金融研究所, 1998年.
日本銀行金融研究所,「電子決済技術と金融政策との関連を考えるフォーラム」中間報告書,『金融研究』第18巻第3号, 日本銀行金融研究所, 1999年.
日本銀行金融研究所,「技術革新と銀行業・金融政策――電子決済技術と金融政策運営との関連を考えるフォーラム」報告書,『金融研究』第20巻第1号, 日本銀行金融研究所, 2001年.

林文夫・大谷聡・川本卓司,「ベースマネー需要が限りなくゼロになった場合の金融政策」日本銀行金融研究所, 1999年.
日向野幹也,「ナローバンク, クレジットスコアリングおよび電子商社金融」, *IMES Discussion Paper* 99-J-33, 日本銀行金融研究所, 1999年.
米国商務省,『ディジタル・エコノミーⅠ, Ⅱ』(室田泰弘訳), 東洋経済新報社, 1999年.

Allen, F., and Santomero, A., "The Theory of Financial Intermediation," *Journal of Banking and Finance* 21, 1998.
Aoki, K., "On the Optimal Monetary Policy Response to Noisy Indicators," Princeton University, 1999.
Avery, C., Resnick, P., and Zeckhauser, R., "The Market for Evaluation", *American Economic Review*, 89(3) : 564-584, 1999.
Bailey, J., "Electronic Commerce : Prices and Consumer Issues for Three Products : Books, Compact Discs, and Software," OECD, 1998.
Bank of International Settlements, *Macroeconomic and Monetary Policy Issues Raised by the Growth of Derivatives Markets*, Report Prepared by a Working Group Established by the Euro-Currency Standing Committee of the Central Banks of the Group of Ten Countries, 1994.
Bank of International Settlements, "The Global OTC Derivatives Market at end-December 2000", 2001.
Batini, N., Martin, B., and Salmon, S., "Monetary Policy and Uncertainty," *Bank of England Quarterly Bulletin*, Vol.39(2), 1999.
Bauer, P., and Ferrier, G., "Scale Economies, Cost Efficiencies, and Technological Change in Federal Reserve payment Processing," *Journal of Money, Credit and Banking* 28(4), 1996.
Becketti, S., and Morris, C., "Are Bank Loan Still Special?" *Federal Reserve Bank of Kansas City Economic Review*, 3rd Quarter, 1992.
Berger, A., and Mester, L., "Inside the Black Box : What Explains Differences in the Efficiencies of Financial Institutions?" *Journal of Banking and Finance* 21, 1997.
Bernanke, B., and Gertler, M., "Inside the Black Box : The Credit Channel of Monetary Policy Transmission," *Journal of Economic Perspectives*, 9-4, 1995.
Blinder, A., *Central Banking in Theory and Practice*, MIT Press, 1998. (河野龍太郎・前田栄治訳『金融政策の理論と実践』東洋経済新報社, 1999年)
Brainard, W., "Uncertainty and the Effectiveness of Policy," *American Economic Review* 57, 1967.
Braun, C., Egli, D., Fischer, A., Rime, B., and Walker, C., "The Restructuring of the Swiss Banking System," BIS, 1999.
Brynjolfsson, E., and Smith, M., "Frictionless Commerce? A Comparison of Internet and Conventional Retailers," MIT Sloan School of Management, 1999.
Cecchetti, S., "The Future of Financial Intermediation and Regulation," *Federal Reserve Bank of New York Current Issues in Economics and Finance*, 5-8, 1999.
Chow, G., *Analysis and Control of Dynamic Economic Systems*, New York : Wiley,

1977.
Clemons, E., Hann, H., and Hitt, L., "The Nature of Competition in Electronic Markets: An Empirical Investigation of Online Travel Agent Offerings," Working Paper, The Wharton School of the University of Pennsylvania, 1998.
Collins, S. and C. L. Edwards, "An Alternative Monetary Aggregate: M2 Plus Household Holding of Bond and Equity Mutual Funds," Paper presented at the Federal Reserve Bank of St. Louis Symposium on Mutual Funds and Monetary Aggregates, March 1994.
Collins, W., O'Rourke, K., and Williamson, J., "Were Trade and Factor Mobility Substitutes in History?" *NBER Working Paper* No.6059, 1997.
Council of Economic Advisors, *The Annual Report of the Council of Economic Advisors*, 2000. (『2000 米国経済白書』週刊エコノミスト臨時増刊 5 月 29 日号, 2000 年)
Crane, D., et al., *The Global Financial System A Functional Perspective*, Harvard Business School Press, 1995. (野村総合研究所訳『金融の本質』野村総合研究所広報部, 2000 年)
David, P., "The Dynamo and the Computer: A Historic Perspective on the Modern Productivity Paradox," *American Economic Review* Vol. 80 No.2, 1990.
Economides, N., "Network Economics with Application to Finance," *Financial Markets, Institutions & Instruments*, 2(5), 1993.
Economides, N., "How to Enhance Market Liquidity," in Schwartz, R. ed., *Global Equity Markets*, New York: Irwin Professional, 1995.
Economides, N. and Heisler, J., "Equilibrium Fee Schedules in a Monopolist Call Market", New York University, mimeo, 1994.
Economides, N. and Schwartz, R. A., "Electronic Call Market Trading", *Journal of Portfolio Management*, 21(3), 1995a.
Economides, N. and Schwartz, R. A., "Equity Trading Practices and Market Structure: Assessing Asset Managers' Demand for Immediacy," *Financial Markets, Institutions & Instruments*, 4(4), 1995b.
Engel, C., and Rogers, J., "How Wide is the Border?" *American Economic Review* 86, 1996.
Federal Reserve Bank of Dallas, *The Economy at Light Speed*, 1996.
Federal Reserve Bank of Dallas, *1997 Annual Report*, 1997.
Feldstein, M. and Horioka, C., "Domestic Saving and International Capital Flow," *Economic Journal* 90, 1980.
Feldstein, M. and J. Stock, "Measuring Money Growth When Financial Markets Are Changing," *NBER Working Paper* No.4888, 1994.
Fernald, D., Keane, F., and Mosser, P., "Mortgage Security Hedging and the Yield Curve," *Federal Reserve Bank of New York Quarterly Review*, 19(2), 1994.
Goldberg, L., and Klein, M., "Foreign Direct Investment, Trade and Real Exchange Rate Linkages in Southeast Asia and Latin America," *NBER Working Paper* No.6344, 1997.
Gorton, G., and Pennacchi, G., "Financial Innovation and the Provision of Liquidity

Services," mimeo, University of Pennsylvania, Wharton School, 1990.

Hancock, D., Humphrey, D., and Wilcox, J., "Cost Reductions in Electronic Payments: The Roles of Consolidation, Economies of Scale, and Technical Change," *Journal of Banking & Finance* 23, 1999.

Hansen, L., and Sargent, T., "Acknowledging misspecification in Macroeconomic Theory," *Monetary and Economic Studies*, 19(S-1), Institute for Monetary and Economic Studies, Bank of Japan, 2001.

Henckel, T., Ize, A., and Kovanen, A., "Central Banking without Central Bank Money," IMF Working Paper 99/92, 1999.

Hummels, D., Rapoport, D., and Yi, K., "Vertical Specialization and the Changing Nature of World Trade," *Federal Reserve Bank of New York Economic Policy Review*, June, 1998.

Jones, R., "A Three-Factor Model in Theory, Trade, and History," in Bhagwati J. N. et al., eds., *Trade, Balance of Payments, and Growth: Essays in Honor of Charles P. Kindleberger*, North-Holland: Amsterdam, 1971.

Kashyap, A., and Stein, J., "Monetary Policy and Bank Lending," in Mankiw, N. ed., *Monetary policy*, National Bureau of Economic Research Studies in Business Cycles, Volume 29, the University of Chicago Press, 1994.

Krugman, P., and Obstfeld, M., *International Economics Theory and Policy Third Edition*, Harper Collins College Publishers, 1994.

Levonian, M., "Changes in Small Business Lending in the West," *Federal Reserve Bank of San Francisco Economic Letter*, 97-02, 1997.

Lewis, K., "Consumption, Stock Returns, and the Gains from International Risk-Sharing," *NBER Working Paper Series* No.5410, 1996.

Lewis, K., "International Home Bias in International Finance and Business Cycle," *NBER Working Paper* No.6351, 1998.

MacCallum, J., "National Borders Matter: Canada-U. S. Regional Trade Patterns," *American Economic Review* 85, June, 1995.

Matsui, A., and Shimizu, T., "A Theory of Money with Market Places," Preliminary Version, University of Tokyo, 2000.

Mishkin, F., "Symposium on the Monetary Transmission Mechanism," *Journal of Economic Perspectives*, 9-4, 1995.

Nordhaus, W., "Traditional Productivity Estimates are Asleep at the Technological Switch," *Economic Journal*, September 1997.

Obstfeld, M., "International Capital Mobility in the 1990s," in Kenen, P. B., ed., *Understanding Interdependence: The Macroeconomics of the Open Economy*, Princeton, N. J.: Princeton University Press, 1995.

Organization for Economic Co-operation and Development, "Measuring Electronic Commerce: International Trade in Software," 1998.

Organization for Economic Co-operation and Development, *The Economic and Social Impact of Electronic Commerce: Preliminary Findings and Research Agenda*, 1999.

Orphanides, A., "The Quest for Prosperity without Inflation," Board of Governors of

the Federal Reserve System, 1999.
Orphanides, A., B. Reid, and D. H. Small, "The Empirical Properties of a Monetary Aggregate That Adds Bond and Stock Funds To M2," Paper presented at the Federal Reserve Bank of St. Louis Symposium on Mutual Funds and Monetary Aggregates, 1994.
Poole, W., "Optimal Choice of Monetary Policy Instruments in a Simple Stochastic Macro Model," *Quarterly Journal of Economics* 84, May 1970.
Sargent, T., "Comment on 'Policy Rules for Open Economies'," in Taylor, J. ed., *Monetary Policy Rules*, University of Chicago Press, 1999.
Saunders, A., *Financial Institutions Management, 3rd edition*, McGraw-Hill Higher Education, 2000.
Stiglitz, J., and Weiss, A., "Credit Rationing in Markets with Imperfect Information," *American Economic Review*, June, 1981.
Svensson, L., "Inflation Forecast Targeting: Implementing and Monitoring Inflation Targets," *European Economic Review* 41, 1997.
Taylor, J. B., "Information Technology and Monetary Policy".(ジョン・B・テイラー,「情報技術と金融政策」『金融研究』第17巻第4号, 日本銀行金融研究所, 1998年)

# 索引

## ア 行

IS-LM モデル　35
アクセス型商品　6, 7, 9-12, 15-17, 22, 27, 29, 30, 35
　オンラインバンキング型　7, 9
　クレジットカード型　7, 9
　電子小切手型　7, 9
　——の仕組み　11
後払い決済　14
アベイラビリティ・コスト　18, 20
アベイラビリティ・ルート　→金融政策の波及経路
アレン（Allen, F.）　110
アンカバーの金利裁定条件　135, 169
E トレード　106
市　85-87
一人一価　94
一物一価　91, 93, 94, 174
一物多価　96, 144
一般受容性　14, 22, 42, 46, 152
インターネット・バンキング　104, 105
インターネット・ファイナンス　104, 105
インターネット・ブローキング　106
インターバンク市場　195, 196
インフレ税　42, 43
馬跳び（leaptrogging）　78
ATS 勘定　147, 148
エージェンシー・コスト　86, 87, 107, 116, 124
エージェンシー問題　85-87, 128
エージェント　85, 86
エコノミデス（Economides, N.）　162
NOW 勘定　147
FF レート　168
オープン・ネットワーク　5, 6, 10
オープン・モジュラー型　130　→開放・寄せ集め型の生産
オフバランス取引　110, 115
卸・小売業　85, 86
オンラインバンキング　29

## カ 行

開放・寄せ集め型の生産　89　→オープン・モジュラー型
価格差別　94-96
価格の硬直性　96
確実性等価の原則（Certainty Equivalence）　188, 189
カットオフ・スコア　111
カプセル化　119
貨幣の機能　33
貨幣の流通速度　37
『貨幣発行自由化論』　28
為替レート・チャネル　→金融政策の波及経路
間接金融　107
規模の経済　90, 112-114, 117, 118, 132, 164, 165
逆選択　121
供給ショック　95, 144, 191
銀行
　——の最適規模　166
　——の特殊性　114-117
銀行貸出チャネル　→金融政策の波及経路
銀行 POS　10
金融システムの安定性　27, 51, 54, 154
金融政策　27
　——の操作変数　39, 60
　——の必要性　97, 152, 154
　——の有効性　97, 122, 136, 152, 154
金融政策の波及経路　119, 120, 122, 135, 141, 150-152, 154, 168, 194
　アベイラビリティ・ルート（クレジット・チャネル）　36, 120, 122, 151, 168
　為替レート・チャネル　136, 168, 169
　銀行貸出チャネル　170
　金利ルート　120, 122, 123, 136, 151, 152, 168, 169
　資産価格効果　168-170
　バランスシート・チャネル　123, 124, 151, 170
金融調節　38, 39, 60, 63, 150
金利のコントローラビリティ　63, 104, 106

金利安定化政策　35, 150
金利コントロール　39, 40, 136, 150, 195
金利ルート　→金融政策の波及経路
グッドハート（Goodhart, C.）　64
gravity 方程式　174
グリーンスパン（Greenspan, A.）　61, 62
クレジットカード　7, 9, 10, 12, 14-20, 29, 35, 36, 113, 150, 195
クレジット・スコアリング　74, 108, 111, 115, 116
クレジット・チャネル　→金融政策の波及経路
クレジット・ライン　116
グレシャムの法則（Gresham's law）　171
クローズド・インテグレート型　130　→閉鎖・すり合わせ型の生産
クローズド・ネットワーク　10
グローバリゼーション　127
群集行動（herding behavior）　154
経済地理学　132
系列・下請け　131
　──制度　86
　──取引　83, 85, 88, 193
決済手段の利用者コスト　17-19
公開市場操作　40
コールレート　38, 39
国債投資信託　46
国際分散投資　132, 133

**サ 行**

サーチ・コスト　75, 78, 86, 87, 91, 93, 128, 130
サービサー業務　110
裁定取引　106, 107, 120, 122, 151
再販価格制度　95
産業内貿易　130
産業立地　132
サントメロ（Santomero, A.）　110
資産価格効果　→金融政策の波及経路
資産代替（Asset Substitution）　132, 135, 136, 171-173
市場との対話　154
市場の失敗　90
実質長期金利均等化　133-136
シニョレッジ（通貨（貨幣）発行益）　42, 136
　狭義の──　42-45
　広義の──　43
社会的厚生損失（distortion）　63
ジャンク債　107

集権型ネットワーク　72
集権的意思決定方式（階層的ピラミッド構造）　119
州際業務規制　112, 123
集中化　112, 117, 122, 155
需要ショック　95, 144, 191
準備預金　30, 39
　──制度　38, 39, 41, 60, 195
　──への付利　41, 61-63
準備率操作　60
証券化　102, 103, 106, 107, 110, 120, 121
承認図部品　88
情報生産　101, 108, 114, 116, 117
情報仲介業　78, 88, 134
情報の詳細化　118
情報の非対称性　76, 85, 87, 89, 108, 112, 116, 121, 123, 133, 134, 152, 169, 170
正味資産　123, 170
審査　101, 114, 116
信用乗数　30, 31, 38, 55, 56
信用創造　29, 31, 32
信用秩序維持政策（プルーデンス政策）　27
信用割当　121, 122, 151
信頼　88-90, 157-159
ストアドバリュー型商品　6, 7, 11, 12, 14-17, 20-23, 27-30, 43
　IC カード型　7
　ネットワーク型（ソフトウェア型）　7, 15
　──の仕組み　8
ストルパー=サミュエルソン定理　176
政策反応関数　189-191
生産性パラドックス　142, 145, 147, 193
製品差別化　130, 131
政府短期証券　195
セーフティネット　51, 52, 155
セキュリティ・コスト　18-20, 34
ゼロ・リザーブ　41, 61
潜在成長率　142, 143, 145, 193
漸進主義（Gradualism）　190
全要素生産性（TFP）　74, 142, 143, 145, 146
総供給曲線　95, 144
相対的危険回避度一定　181
即時（同時）決済　14
測定誤差説　146

**タ 行**

代替関係（生産要素移動と貿易の）　132, 177

索 引　205

対面取引　16, 18
多国籍企業　87, 88, 193
チェック・プロセス　113
中央銀行のバランスシート　40
仲介業　89, 157, 159
注文生産　74
通貨代替（Currency Substitution）　127, 134-136, 171-173
通貨発行益　→シニョレッジ
ディストリビューション・コスト　129
デジタル財　21, 22, 129, 130, 132
デジタル・デバイド問題　75
デビットカード　9, 10, 12, 14-16, 18-20, 103, 113, 195
デリバティブ　74, 102, 107, 110, 120-122, 151
デリバリー・チャネル　103, 104
電子決済技術　5, 21, 28-30, 33-35, 38-41, 47, 55, 57, 60, 103, 150
電子決済手段　10-16, 21, 22, 29, 31, 33, 34, 39, 51, 62, 103
　　――の分類　7
電子コール市場（the Electronic Call Market）　162
電子商取引　15, 83, 88, 89, 91-96, 104, 127, 129-132, 144, 145, 152, 157-159, 162, 163, 193
　　クロスボーダーの――　127-129, 134
電子認証　157
電子マネー　5-7, 28-32, 40-42, 44-46, 51-56, 103, 150, 152
転々流通性　8, 22
動学的 TFP　146, 147
動学的非整合性（Dynamic Inconsistency）　44
too-big-to-fail 政策　113
トービン=ボーモルの在庫理論アプローチ　33, 34, 57
トービンの q　169
特殊要素モデル　176, 177
取付け　54
取引動機　33, 34
ドル化（Dollarization）　127, 134, 136, 137, 152, 171, 183

　ナ　行

中抜き　193
ナスダック（NASDAQ）　107, 161
日銀ネット　13

二分法　96
日本銀行金融ネットワークシステム　13
ニューヨーク証券取引所　161
ネットワークの外部性　72
のれん　78, 158

　ハ　行

パーティシペーション・コスト　109, 110, 112
ハイエク（Hayek, F. A.）　28
配送コスト　129-132
ハイパー・インフレ　134, 152, 171, 173
ハイパワードマネー　46, 55
バランスシート・チャネル　→金融政策の波及経路
範囲の経済　90, 115
ハンドリング・コスト　18-20, 34
PC 化　71
B to C 取引　83, 86, 87, 127, 130, 131, 134
B to B 取引　83, 86, 88, 89, 127, 128, 130, 131, 134, 135
非匿名性　94
人質　86
費用関数　164, 166
評判　86, 88, 158
ファームバンキング　9
ファイナリティ　28, 29, 64
プール（Poole, W.）　35, 58
フェイ　45
フェデラル・ファンド金利　121
フェデラル・ファンド取引　113
フェルドシュタイン（Feldstein, M.）　62
フェルドシュタイン=ホリオカ・パラドックス　133, 179-182
不確実性　141, 142, 145, 154, 188, 193
　加法的――　188, 189, 191
　経済データの――　188, 190, 193, 194
　パラメータの――　188-190, 193, 194
　モデル選択に関する――　188, 191-193
不換紙幣　28, 29, 44-46
物価指数　95, 96, 144, 193
　　――の上方バイアス　96, 144-146, 193
プラットフォーム・ビジネス　90, 91, 158, 159
ブランド・イメージ　88, 90
ブランドネーム　158
フリードマン（Friedman, M.）　33, 63
フリーバンキング　28
プリンシパル　85, 86

プルーデンス政策 154 →信用秩序維持政策
フロート・コスト 18-20
プロトコル 6
分権型ネットワーク 72
分権的意思決定方式（権限委譲） 119
分散化 114, 115, 117, 122, 155
閉鎖・すり合わせ型の生産 88 →クローズド・インテグレート型
ヘクシャー＝オリーン・モデル 176-178
ペンション・ファンド 103, 110
貿易依存度 129, 131, 134, 135, 151
法定準備 30-32
法定準備率 41, 195
補完関係（生産要素移動と貿易の） 132, 178
ボーダーレス化 127
ホームバイアス 132, 133, 136
　自国財に関する── 128, 129, 174
ホームバイアス・パズル 133, 179, 180
ホールセール取引 5

## マ 行

マークアップ率 95
マーケット・マイクロストラクチャー 161, 163
マイクロペイメント 21, 22
前払い決済 14
マネーサプライ 30, 38, 39, 47, 55, 96, 171, 172
　──・コントロラビリティ 27, 29
　──・コントロール 30, 31
　──統計 136, 145, 147-149, 194
マネタリーベース 28, 30, 38, 39, 62, 64, 136, 150, 194-196
見込み生産 74
ミシュキン（Mishkin, F.） 168
ミューチュアル・ファンド 110, 148, 149
ムーアの法則 71
メガバンク化 112, 117, 122, 155
メニューコスト 91, 92, 96, 97, 152
モーゲージ担保証券（MBS） 103, 120
モニタリング 101, 114, 116, 122-124, 151
モラルハザード 123

## ヤ 行

ヤップ島 45
山田羽書 45
ユーロ乗数 33
ユーロ預金 32

預金保険 52, 53
　──制度 117
予備的動機 37

## ラ 行

楽天 87
リーガルテンダー 42
リスク管理 103, 107, 120, 151
リテール取引 5, 18
流動性供給 101, 116, 117
流動性制約 36
履歴効果（hysteresis） 172
歴史的ラグ説 145
レギュレーションQ 135, 148
レモン問題 77, 89, 90, 94, 128
連続時間市場（the Continuous Market） 161, 162

## A〜Z

ACH（Automated Clearing House） 113, 114
AZX（Arizona Stock Exchange） 162
ASP（Application Service Provider） 131
bid-ask spread 161, 162
Brainard Conservatism Principle 190
CAPM（Capital Asset Pricing Model） 180
CP（Commercial Paper） 52
ENIAC（Electronic Numerical Integrator And Computer） 71
FB（financing bill） 63
Fedwire 113, 114
MBS（Mortgage-Backed Security） →モーゲージ担保証券
Metal Site 74
min-max problem 192
MIPS（Million Instructions Per Second） 72
Missing M2 148
MMDA（Money Market Deposit Account） 148
MMF（Money Market Fund） 51, 52, 54, 62, 117, 150
MMMF（Money Market Mutual Fund） 147, 148
OTC（Over the Counter） 102
PPP（Purchasing Power Parity） 174
TB（treasury bill） 63
TFP（Total Factor Productivity） →全要素

生産性
too little, too late　141

VaR（Value at Risk）　103

**監修者略歴**
1921年　神奈川県に生れる
1982年　東京大学経済学部退官
現　在　東京大学名誉教授, 日本学士院会員

**主要著書**
『金融政策の理論』東京大学出版会, 1982年.
『金融再編成の視点』東洋経済新報社, 1985年.
『日本の金融』I, II（共編）東京大学出版会, 1987年.
『日本の経済』東京大学出版会, 1991年.
*The Comtemporary Japanese Economy : An Overview,*
　University of Tokyo Press, 1993.

日本銀行金融研究所ホームページ
　http://www.imes.boj.or.jp/

---

電子マネー・電子商取引と金融政策
───────────────────
2002年7月17日　初　版

［検印廃止］

監修者　館　龍一郎
編　者　日本銀行金融研究所
発行所　財団法人　東京大学出版会
　　　　代 表 者　五味文彦
　　　　113 東京都文京区本郷7-3-1 東大構内
　　　　電話 03-3811-8814・振替 00160-6-59964

印刷所　大日本法令印刷株式会社
製本所　誠製本株式会社

───────────────────
ⓒ2002 Bank of Japan
ISBN 4-13-040193-9　Printed in Japan

Ⓡ〈日本複写権センター委託出版物〉
本書の全部または一部を無断で複写複製（コピー）する
ことは，著作権法上での例外を除き，禁じられています．
本書からの複写を希望される場合は，日本複写権センタ
ー（03-3401-2382）にご連絡ください．

| | | | |
|---|---|---|---|
| 館 龍一郎 | 日　本　の　経　済 | A5 | 2400 円 |
| 館 龍一郎 | 金　融　政　策　の　理　論 | A5 | 2500 円 |
| 館 龍一郎　編<br>蠟 山 昌 一 | 日　本　の　金　融　Ⅰ　・　Ⅱ | A5 | 各2500 円 |
| 堀 内 昭 義 | 金　　　　融　　　　論 | A5 | 2600 円 |
| 河 合 正 弘 | 国　際　金　融　論 | A5 | 4800 円 |
| 藪 下 史 郎 著 | 金融システムと情報の理論 | A5 | 3800 円 |
| 貝 塚 啓 明　編<br>植 田 和 男 | 変 革 期 の 金 融 シ ス テ ム | A5 | 3500 円 |
| 堀 内 昭 義　編<br>吉 野 直 行 | 現 代 日 本 の 金 融 分 析 | A5 | 3500 円 |
| 福 田 慎 一<br>堀 内 昭 義 編<br>岩 田 一 政 | マクロ経済と金融システム | A5 | 4000 円 |
| 宇 沢 弘 文　編<br>花 崎 正 晴 | 金 融 シ ス テ ム の 経 済 学 | A5 | 4000 円 |

ここに表示された価格は本体価格です．ご購入の際には消費税が加算されますのでご了承下さい．